KB217428

한국에서 경험한 하나님의 신실하심
Experiencing God's Faithfulness in Korea

omf 1865년 **허드슨 테일러**가 창설한 **중국내지선교회**(**CIM**: China Inland Mission)는 1951년 중국 공산화로 인해 철수하면서 동아시아로 선교지를 확장하고 1964년 명칭을 **OMF**(Overseas Missionary Fellowship) INTERNATIONAL로 바꿨다. **OMF**는 초교파 국제선교단체로 불교, 이슬람, 애니미즘, 샤머니즘 등이 가득한 동아시아에서 각 지역 교회, 복음적인 기독 단체와 연합하여 모든 문화와 종족을 대상으로 예수 그리스도가 구세주이심을 선포하고 있다. 세계 30개국에서 파송된 1,300여 명의 **OMF** 선교사들이 동아시아 18개국의 신속한 복음화를 위해 사역 중이다.

OMF 사명 | 동아시아의 신속한 복음화를 통해 하나님을 영화롭게 한다.

OMF 목표 | 하나님의 은혜로 동아시아의 각 종족 가운데 자기 종족을 전도하며, 타종족을 선교하는 토착화된 성경적 교회 개척 운동이 일어나는 것을 보는 것.

OMF 사역중점 |

우리는 미전도 종족을 찾아간다.
우리는 소외된 사람들에게 관심을 갖는다.
우리는 복음을 전하는 일에 주력한다.
우리는 현지 지역교회와 더불어 일한다.
우리는 국제적인 팀을 이루어 사역한다.

OMF INTERNATIONAL-KOREA

한국본부 • 137-828 서울시 서초구 방배본동 763-32 호언빌딩 2층
전화 • 02-455-0261, 0271/ 팩스 • 02-455-0278
홈페이지 • www.omf.or.kr/ 이메일 • omfkr@omfmail.com

1974년 한국에 온 오스트레일리아인 선교사(OMF)
세실리 모어, 모신희의 한국 이야기

한국에서 경험한

하나님의 신실하심

RODEMBOOKS omf

한국에서 경험한 하나님의 신실하심
Experiencing God's Faithfulness in Korea

모신희 선교사님을 추억하며

선교에 대해 문외한이었던 나는 OMF 선교사들을 만나면서 생각에 지각변동이 왔다. OMF 선교사님들의 철저한 믿음 선교, 말씀 중심사역, 은사 중심사역은 큰 감동과 선교의 좋은 롤모델이 되었다.

모신희 선교사님은 초량 덕림아파트에서 작은 사랑방 같은 모임을 가지며 그 소그룹에서 매일성경을 가지고 성경묵상을 하였다. 언젠가 송년모임으로 기억이 되는데 모신희 선교사님과 성경공부를 했던 부산지역의 사람들이 모였다. 그날 나는 깜짝 놀랐다. 모신희 선교사님이 작은 아파트에서 소그룹 성경공부 모임을 가졌던 것이 얼마나 영향력이 퍼졌던지 대학교 총장, 병원장, 교수, 목사, 사모…, 부산지역의 영적인 알곡들이 가득 모였었다. 한 선교사님의 헌신과 성경공부 인도가 부산지역의 잠자는 영혼들을 깨우고 영적인 거장들을 만들어내었다. 그분들이 흩어져서 학교에서, 병원에서 다양한 일터에서 건강하고 성경적인 영향력을 미치는 것을 보고 그분이 뿌린 씨앗이 그렇게 열매 맺는 것이기에 그날 큰 감동이 되었다. 모신희 선교사님이 성경묵상을 가르친 덕분에 아내와 나는 매일성경을 가지고 묵상을 하다가 결혼까지 하게 되었다. 우리 포도원교회는 전

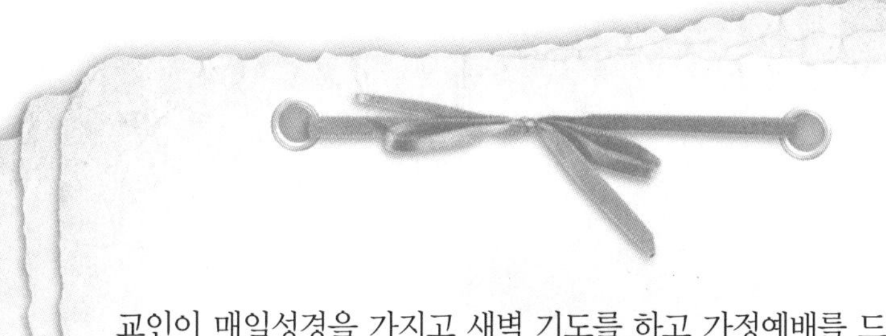

교인이 매일성경을 가지고 새벽 기도를 하고 가정예배를 드리고 구역모임 소그룹 활동을 한다.

신실하신 하나님께서는 모신희 선교사님이나 어떻게 보면 연약한 벽안의 여인들을 통하여 부산 땅에 말씀 운동을 일으키고 선교의 불씨를 일으켰다. 그때 우물 안의 개구리가 아니라 우물 밖의 개구리가 되어야 한다고 하였다.

모신희 선교사님의 조용하고 차분하고 겸손하고 신실했던 사역은 많은 사람들의 가슴 속에 진한 여운을 남겼고, 선교에 대한 아름다운 모델로 남아있는 사람들에게 각인이 되었다. 그분의 작은 손길과 숨결이 부산경남지방에 나비효과와 같이 영적인 쓰나미를 몰고 오고 선교의 폭풍을 일으켰다. 추억할 때마다 하나님의 신실하심을 찬양할 수밖에 없다. 고맙습니다! 감사합니다! 사랑합니다!

김문훈 (포도원교회 담임목사)

하나님의 신실하심을 느끼며

요즈음은 책들이 너무 많이 나와 있어서 나까지 또 한 권을 더하고 싶지 않았다. 그렇지만 나를 한국까지 인도해 주시고, 한국에서 사는 동안 도와주셨던 하나님의 신실하심을 깊이 느끼고 있었기 때문에, 그 신실하심을 증거하고 싶은 마음에 책을 써달라는 요청에 수긍하였다.

이 책은 최태희 권사님의 요청으로 시작되었고, 권사님은 그 후 수년 동안 인내심을 가지고 기다려 주셨다. 매우 감사하다. 또한 추억의 글들을 써주시고 번역과 디자인으로 도와주신 모든 분들에게도 깊은 감사를 드린다.

또 나의 모든 한국 친구들, 동료들, 성경공부 멤버들께도 이 지면을 빌어서 각별히 감사했다는 말씀을 드리고 싶다. 너무도 그 숫자가 많아서 일일이 다 열거하지는 못하지만, 여러분의 도움, 격려, 우정이 없었더라면 내가 한국에서 그렇게 풍성한 삶을 누리지 못했을 것이다.

한국에서 사는 동안, 나는 준 것보다 받은 것이 훨씬 더 많았다.

이 기록에 혹시 오류가 있으면 용서 바란다. 그리고 이 외에도 중요한 사건과 경험들이 많았지만, 그 수많은 추억들 중에서 일부분

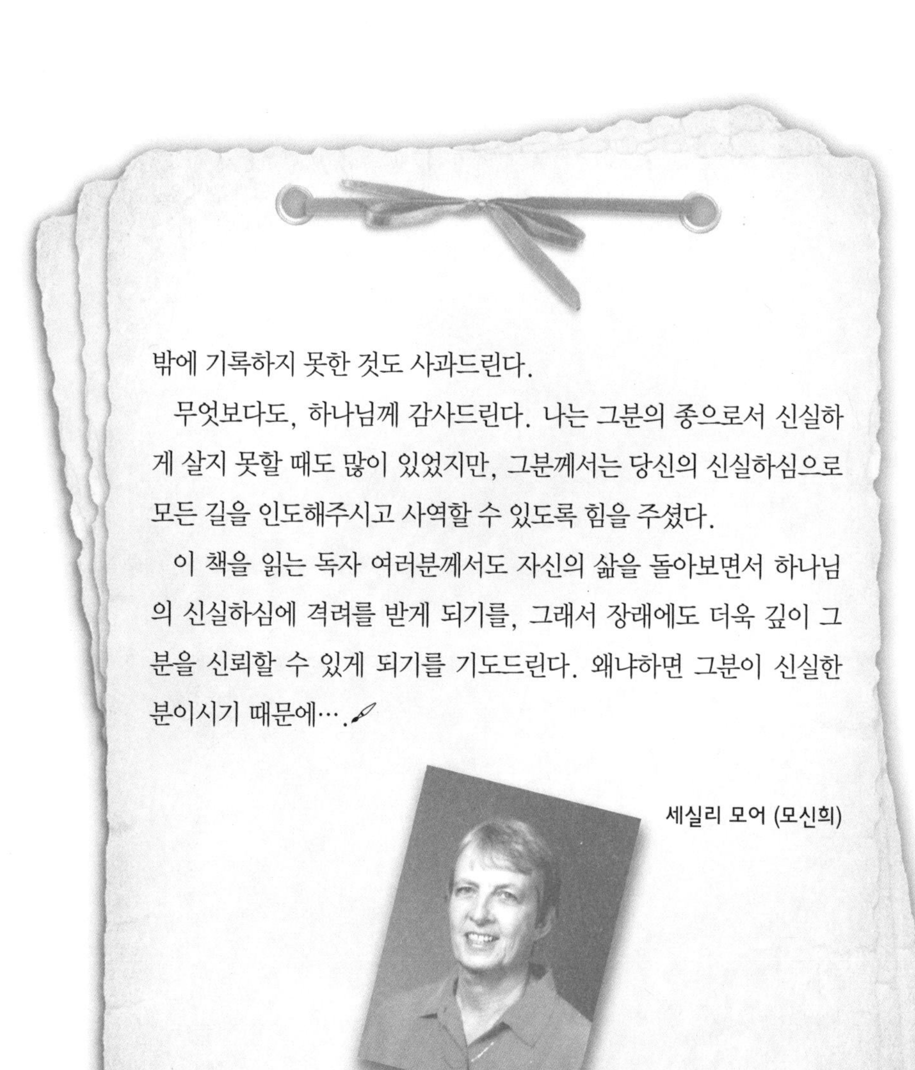

밖에 기록하지 못한 것도 사과드린다.

무엇보다도, 하나님께 감사드린다. 나는 그분의 종으로서 신실하게 살지 못할 때도 많이 있었지만, 그분께서는 당신의 신실하심으로 모든 길을 인도해주시고 사역할 수 있도록 힘을 주셨다.

이 책을 읽는 독자 여러분께서도 자신의 삶을 돌아보면서 하나님의 신실하심에 격려를 받게 되기를, 그래서 장래에도 더욱 깊이 그분을 신뢰할 수 있게 되기를 기도드린다. 왜냐하면 그분이 신실한 분이시기 때문에….

세실리 모어 (모신희)

한국에서 보낸 시간들

● 이 글은 원래 '활동하고 있는 선교사들(Missionaries in Action)'이라는 제목으로 호주 독자들을 위해서 쓴 글이다. 호주의 Ark House Press라는 곳에서 쿠롱북스를 위해서 출판한 책에 기고했던 글을 허락을 받아서 게재한 것이다.

내 삶을 돌아볼 때 제일 뚜렷하게 드러나는 것은 하나님의 신실하심이다. 선교의 일을 위해 준비하게 하시고 그 길로 인도하신 것, 해외에서 선교사로 있을 때 사람들의 삶에 역사하셔서 사역할 수 있도록 힘을 주신 것, 그리고 건강상의 이유로 호주에 돌아와야 했을 때 그 후의 일을 인도해 주신 것, 이 모든 일이 하나님의 신실하심 덕분에 이루어졌다.

나의 선교 여정은 10살 때부터 시작되었다. 어린 시절 퀸즐랜드의 농가에서 살았는데, 선생님이 한 분뿐인 작은 초등학교에 말을 타고 다녔다. 마을에 있는 재향 군인 회관에서 한 달에 두 번씩 교회 예배가 있었다. 주일 학교는 아주 작아서 부엌에서 모였다. 그런데 그 작은 주일 학교에서 성경 이야기도 배웠지만 인도, 인도네시아, 태평양의 섬들, 그리고 남한에서 일어나는 선교 사역에 관해서도 배울 수 있었다.

나는 그 모든 것이 아주 재미있었다. 그 중에서도 한국 전쟁 이후에 호주의 한 여의사와 간호사였던 그의 여동생이 부산에서 병원을(일신 산부인과, 현재 일신 기독 병원) 시작했다는 이야기를 듣고, 나중에 간호사 선교사가 되어 한국에 가겠다고 결심했다. 나는 그 다음 날 학교에 가서 바로 모든 사람에게 내가 장래 어른이 되어 무엇을 할 것인지를 말했다. 고등학교를 다닐 때 나의 미래에 대하여 여러 가지 다른 꿈을 가지기도 했지만 신문에서 한국에 관련된 기사가 나오면 '이건 내 나라야!' 하고 생각하며 그것을 오려 두었다.

고등학교를 졸업하고 무엇을 할지 확신이 서지 않아 가까운 도시에 있는 사무실에서 근무를 했다. 졸업 후 맞는 첫 부활절에 교회의 청년 그룹 멤버들과 부활절 집회에 참석하러 갔다. 나는 어릴 때부터 평생 교회를 다녔고 성경 이야기도 많이 알고 있었으며 스스로 좋은 그리스도인이라고 생각하고 있었다. 그런데 성 금요일 아침 설교를 들으면서 난생 처음으로 내가 죄인이며 예수께서 나를 위해 돌아가셨음을 깨닫게 되었다. 나는 앞으로 나가 내가 예수님을 나의 구주와 나의 주님으로 영접했음을 고백하고 그분을 따르겠다고 헌신을 했다.

믿는 친구들이 나에게 성서 유니온에서 나오는 매일성경을 소개해 주어 날마다 성경을 읽고 묵상을 하였고 차차로 그것이 내 삶의 중요한 부분이 되었다. 그 일을 통하여 내 삶 가운데 예수님의 임재를 의식할 수 있었으며 믿음을 확고하게 가질 수 있었다.

이 시기에 OMF 기도 모임에 초대를 받았다. 선교사의 이야기도 듣고 OMF에서 나오는 책들도 많이 읽으면서 하나님께서 내가 OMF 선교사로 나가기 원하신다고 확신하게 되었다. 당시에 OMF는 한국에서 사역을 하고 있지 않아서 태국의 선교 병원으로 가려고 멜버른에서 간호 훈련을 시작하였다.

그런데 2학년 때 마음이 바뀌었다. 친구들이 하나 둘 결혼을 했다. 선교 관련 모임에는 독신 여선교사들이 많았다. 나는 친구들처럼 결혼하고 싶었기 때문에 혹시 선교사가 되어 결혼하지 못하면 어떻게 하나 하고 걱정이 되었다. 그래서 선교사들에게 편지도 쓰고 그들을 위해서 기도도 하고 후원도 할 것이지만 나는 선교사가 되지 않겠다고 마음을 먹었다.

그런데 하루는 아침에 성경을 읽고 기도를 하는데 하나님께서 내 마음 속에 말씀하셨다. 여러 번 읽은 적이 있는 본문이었는데 그날은 특별히 하나님이 그 말씀에 네온 싸인을 켜두신 것 같았다. 예수님이 제자들에게 하신 말씀이었다. "너희가 나를 택한 것이 아니요 내가 너희를 택하여 세웠나니 이는 너희로 가서 열매를 맺게 하고…"(요한복음 15:16) 그 때 나는 일단 내가 예수님을 구주와 주님으로 받아들였으면 무엇을 하고 안 하고를 결정하는 일은 내게 달린 일이 아니라는 것을 깨달았다. 하나님이 나를 선교사로 부르셨다고 믿었기 때문에 나는 그분께 복종해야 했다.

하나님께서 도와주셔서 나는 내가 걸어가야 할 궤도로 다시 돌아와 선교사가 될 준비를 계속하였다. 이 경험은 나중에 선교지에서 어려운 일들을 만났을 때 크게 도움이 되었다. 내가 그 자리에 있는 것은 하나님이 나를 부르셨기 때문이었다. 내 생각으로 온 것이 아니었다. 그래서 되어가는 일들이 아주 힘들 때에도 인내할 수 있었다.

간호 훈련을 마치고 고향 병원에서 1년 정도 근무하면서 경험을 쌓기로 했다. 간호사 일은 아주 재미있었다. 그래서 몇 주 동안 내가 어떤 병동에서 수간호사 책임을 맡았을 때 칭찬을 듣게 되자, 그곳에서 계속 근무하면 빨리 진급할 수 있겠다는 생각이 들었다. 그런데 하루는 밤에 꿈을 꾸었다. 어떤 사람이 나에게 선교사가 될 거냐고 묻는 것이었다. 내가 '그렇다'고 대답하자 그 사람은 금방 '그런데 왜 준비하고 있지 않지?'라고 물었다. 다음 날 아침에도 그 꿈이 기억에 생생하여 나는 그것이 하나님이 내게 해주신 말씀임을 알았다.

그래서 그 해 연말에 병원을 사직하고 뉴질랜드 바이블 컬리지에 들어갔다. 바이블 컬리지에서의 3년은 정말 좋았다. 성경 지식이 늘었던 것도 좋았지만 학교에서 종교 교육을 가르치고 교회에서는 청소년 성경공부를 인도하면서, 내가 가르치는 것, 특히 성경 가르치는 것을 좋아한다는 것을 발견하게 되었다.

그런데 그 학교 3학년 때 다시 곁길로 나갈 뻔했다. 착하고 믿음도 좋은 분과 몇 번 데이트를 했는데 그것이 유혹이 되어 선교를 준비하는 길에서 물러설 뻔하였다. 이번에는 성경을 통해서 말씀을 들었거나 꿈을 꾼 것은 아니었지만 마음에 평화가 없었다. 왜냐하면 그분은 신실한 크리스천이었지만 선교사의 부르심이 없었기 때문이었다. 하나님은 또 내가 선교사가 되기를 원하신다는 확신을 주시면서 다시 가야할 궤도를 걸어갈 수 있도록 힘을 주셨다.

뉴질랜드에서 신학 공부를 마친 후 호주로 돌아와 OMF에 지원을 했다. 이제는 한국에도 OMF 선교사가 있어서 한국을 향한 나의 마음에 다시 불이 붙었다. 그런데 선교회 리더들은 나에게 태국으로 가는 것이 어떻겠느냐고 권했다. 한국에는 간호사 선교사가 필요하지 않았기 때문이었다. 그리고 한국에 가면 사람들이 하루에도 몇 번 씩 왜 결혼을 하지 않느냐고 물을 텐데 내가 그것을 견딜 수 있을지 염려를 하면서 나에게 며칠 가서 기도해 보고 결정하라고 말해 주었다. 그때 계속 생각나는 말씀은 누가복음 9장 62절이었다. '예수께서 이르시되 손에 쟁기를 잡고 뒤를 돌아보는 자는 하나님의 나라에 합당하지 아니하니라 하시니라.'

나는 이때 더 확실히 하나님께서 나를 한국으로 부르고 계신 것을 확신할 수 있었고, 하나님의 예정 가운데 나를 독신으로 살게 하신다면 기꺼이 그렇게 하겠다고 결심하였다. (독신으로 살겠다고 마음을 정한 것은 아니었지만, 독신으로 사는 것이 하나님의 계획이라면 기꺼이 그렇게 하겠다는 결심을 새롭게 해야 할 경우가 몇 번 있었다.) OMF 리더들도 내가 한국으로 가는 것이 맞겠다고 결정해 주었다. 1974년 드디어 처음 주일학교에서 한국에 대해 관심을 가졌던 때로부터 20년이 지나서야 한국에 도착하였다. 다른 길로 갈 수 있는 유혹이 있었음에도 불구하고 하나님께서 신실하게 나를 인도해 주셔서 참으로 감사드린다.

한국에서의 삶을 돌아볼 때도 참으로 하나님은 신실하셨다는 고백을 하지 않을 수 없다. 독신 생활은 그 나름의 장점이 있었다. 한국 아가씨들과 한 집에 함께 살 수 있었고, 그렇게 했을 때 언어나 문화 습득의 면에서 얼마나 큰 도움을 받았는지 모른다. 한국 성서 유니온 간사였던 권춘자 선생님은 나의 한국 정착에 소중한 멘토였다. 몇 년 동안 한 집에서 함께 살며 큰 언니로서 여러 가지로 도와주어 특히 감사드린다. 당시 한국에서는 누구 집에 갈 때 그 집에 '가장'이 있으면 방문이 자유롭지가 않았다. 우리 집에는 '가장'이 없었기 때문에 교회에서 청년들이 아무 때든지 자유롭게 찾아올 수 있었고 그래서 사역의 기회를 많이 가질 수 있었다. 나 역시 그들과 함께 수련회 등 어디든지 자유롭게 다닐 수 있었다. '왜 결혼하지 않느냐?'는 질문을 정말로 많이 들었는데, 그때마다 한국 문화에서 받아들여지는 대답을 할 수 있었다. 한국에서는 아직도 중매로 결혼하는 경우가 많았기 때문에 '하나님 아버지께서 아직 중매를 해주지 않으셨어요.'라고 대답했다.

권춘자(左) 간사님과 함께

언어를 배우기 위해서 서울에서 2년 간 학교에 다녔다. (언어 학습은 어려운 일이었다. 아무리 노력을 해도 한국말을 결코 배우지 못할 것 같아서 울었던 적도 몇 번이나 있었다.) 그리고 권춘자 간사님과 부산으로 이사해서 부산 성서유니온을 개척했다. 부산에서 삼일교회에 다녔는데 처음에는 대학생 사역을 하다가 나중에는 고등학생 그룹과 여성 그룹도 맡게 되었다. 내가 처음 한국에 도착했을 때는 소그룹 성경 공부 모임이 거의 없었다. 그래서 성경공부 그룹을 인도하면서 다른 사람들도 소그룹 성경공부를 인도할 수 있도록 돕기 시작했다. 다른 한 편으로는 성도들이 성서 유니온을 통해서 매일 성경을 읽고 묵상하도록 격려했다. 처음 4년 동안 나의 한국어 실력은 정말로 미미했다. 그래서 성서 유니온 사역을 하는 권춘자 간사님을 격려하고 돕는 일과 교회에서 대학생 리더들을 돕는 것이 내가 주로 한 일이었다. 나는 그때부터 선교사로서 나의 가장 중요한 역할은 바로 그 '돕는 일'이라는 결론을 내리게 되었다. 내가 하는 일이 중요한 것이 아니라, 오히려 촉매자로서 다른 사람이 예수님께 나와 그 말씀을 배우게 하고 그분을 섬길 수 있도록 격려하는 일이 가장 중요했다.

한국에 오려고 준비하면서 후회했던 일이 있었다. 간호 훈련을 받기 전에 사무실에서 일한 시간이 낭비처럼 생각되었다. 그런데 한국에 와서 보니 OMF 팀 안에 비서 일이나 회계의 경험이 있는 사람이 없었다. 그래서 나중에 다른 사람이 와서 그 일을 맡기까지 몇 년 동안 내가 사무실에서 배웠던 것들을 잘 활용할 수 있었다. 우리 하나님 아버지께서는 처음부터 끝까지 다 알고 계셔서 우리가 알지도 못할 때에라도 미리 준비를 시켜 놓으신다.

첫 안식년을 마치고 한국에 오니 신학교에서 영어 회화를 가르쳐 달라고 했다. 나는 그것이 '선교' 일 같지 않아서 하기가 싫었는데 강권에 못 이겨 그 일을 하게 되었다. 영어 가르치는 일이 특별히 좋았던 것은 아니었다. 어떤 수업은 한 반에 백여 명이나 되었다. 그런데 학생들을 한 명 한

명 알아가는 일이 아주 재미가 있었고 그것은 대단한 사역의 기회가 되었다. 수업 시간 외에 몇 학생들과 영어 성경공부를 했는데 그중에 선교사로 가고 싶어 하는 학생도 있었다. 그리고 학생들이 다니는 교회에 초대를 받아 선교에 대해서나 매일성경 묵상에 대해서 이야기를 할 기회도 많이 갖게 되었다. 또 당시의 학생 중에 나중에 간사들이 되어서 총회 교육 위원회에서 같이 사역하자고 초대를 받기도 했다.

그 간사님들과 몇 년 동안 함께 성경공부를 하면서 학교 잡지에 기사도 쓰고 학생들의 학습 소책자에 실도록 QT 자료도 제공하였는데 그 일이 참 즐거웠다. 그 기독교 교육과 주관으로 일 년에 두 번씩 주일 학교 교사를 위한 통신 교육을 하였다. 그 과정의 일환으로 매년 두 번 씩 몇몇 주요 도시에서 세미나를 열었다. 내가 정기적으로 맡아 하던 강의는 시청각 보조 교재의 사용법이었다. 나는 그 일이 재미있었지만 세미나가 끝나고 집에 와서는 그 교육이 주일 학교 교육에 실제로 변화를 주고 있는가 하는 의문이 들 때도 있었다. 강의를 갈 때마다 무거운 시청각 교재를 커다란 가방 두 개에 가득 들고서 지하철을 타기 위해 계단을 오르내리는 일이 과연 할 만한 가치가 있는 일인지 알고 싶었다.

그런데 한 번은 한 번 세미나를 했던 교회에 두 번째로 가게 되었다. 그곳에는 나의 강의를 들었던 주일 학교 선생님이 있었다. 그 선생님은 자기가 맡았던 주일 학교 방으로 나를 안내하여 강습회 이후로 만들어 사용했던 시청각 교재를 전부 보여주었다. 그리고 그것이 얼마나 아이들을 가르

성서유니온 성경 공부 그룹

치는데 도움이 되었는지 말해 주었다. 나는 크게 격려를 받아 그 일을 기쁘게 계속할 수 있었다.

당시 한국에는 새벽 기도회는 있었지만 개인적으로 성경 본문을 묵상하는 '경건의 시간'(Quiet Time; QT)이라는 개념은 생소했다. 우리는 부산에서 성서 유니온에서 나오는 매일성경을 가지고 금요 모임을 시작했다. 집에 모여 그날 본문을 공부하고 매일의 삶 속에서 그 가르침을 어떻게 적용할 것인지 서로 이야기를 나누는 시간이었다. 그 다음 주가 되면 그 날의 성경을 공부하기 전에 지난주에 성경을 읽으면서 배웠던 것과 그것을 어떻게 실천하면서 살았는지를 먼저 이야기하도록 했다.

나는 오랫동안 QT를 하고 있었지만 이제 그룹을 인도하는 입장에 있게 되자 개인적으로도 노트를 해가면서 성경을 더 깊이 묵상하게 되었다. 또 내가 배우고 있는 것을 애써 실천하기 위해 더욱 열심히 일했다. 그러한 일은 나 자신의 성장으로 이어져 하나님 아버지와 주 예수님과 훨씬 더 깊이 있는 교제를 나누게 되었다.

나는 또 매일성경 자료를 집필하는 일에도 관여하게 되었다. 그 일을 하면서 성경 지식도 늘었고 성경을 더 사랑하게 되었으며 내 자신의 영적 생활에도 성장이 있었다. 그 일은 영적인 전투와도 같았는데 내가 무언가를 써야할 때마다 집중하지 못하게 하는 일들이 발생했다. 이 사역을 통하여 다른 사람들도 도움을 받았겠지만 내가 그들에게 준 것보다 받은 것이 훨씬 더 많았다.

내가 한국에서 주로 한 일은 성경공부 인도자를 훈련하는 일과 교회의 여성 그룹, 대학생, 목사 사모 그룹의 소그룹 성경공부를 인도하는 일이었다. 나는 참으로 이 사역이 좋았다. 그 모든 일은 준비하면서 배우는 것이 더욱 많았다. 나는 성경공부가 사람들이 스스로 성경을 묵상할 수 있도록 돕는 일이 되었으면 했다. 그래서 소그룹을 인도할 때 성서 유니온의 방법을 사용해서 성경공부의 개관을 준비했다. 그런데 가장 가슴을 뛰게 하던 일은 사람들이 그리스도인은 이렇게 살아야 한다고 성경이 가르치는 것을 자기에게 주시는 하나님의 말씀으로 받는 것이었다.

한 그룹에 오랫동안 교회에 다니던 의사가 있었는데 한 번은 아주 상기된 얼굴로 이야기를 하는 것이었다. "이제껏 나는 일은 일이고 교회는 교회이기 때문에 그 사이에 아무런 연관성이 없다고 생각했습니다. 이번 주 성경 말씀을 보니 예수님을 믿는다는 것은 내 삶의 모든 영역에 영향을 미치는 일인 것을 깨달았습니다. 이제 나는 내가 맡은 환자들을 위해서 또 그들과 함께 기도해야겠습니다."

대부분 성경공부는 한국어로 했는데 기독교인이 아닌 사람 중에 영어로 하면 오겠다는 사람들이 있어서 영어 성경공부 그룹도 두세 그룹 인도하고 있었다. 그 중에 몇 명이 믿음을 갖게 되어 기뻤다. 아직도 생생하게 기억이 나는 일이 있다. 한 번은 교회에서 내가 인도하는 소그룹에 오는 자매가 남편을 강권하여 오게 하였다. 그분은 첫날 별로 재미있어 보이지 않았다. 그래서 다시는 오지 않을 거라고 생각하면서도, 사람들은 기도하고 있었다. 그는 다음 주에도 왔는데 그 날 본문이 사도행전에서 바울이 다메섹 도상에서 예수님을 만나는 장면이었다. 그 남편은 우리에게 자기가 기독교인이 되기 위해서는 그와 같은 경험이 있어야 할 것이라고 했다. 그 다음 주 그분에게 치명적인 교통사고가 났다. 자기 잘못은 아니었지만 그 차를 자기가 운전하고 있었기 때문에 감옥에 가게 되었다. 우리는 간절히 기도했고 우리 교회의 변호사가 변호를 해주어 며칠 만에 풀려나게 되었다. 그분은 그 다음 주 성경공부에 왔다. 감옥에서 전 주에 했던 성경 본문을 계속 생각했는데 이제는 자기도 예수님을 만났다는 것이었다. 최근 한국에 가서 그분을 만났는데 아직도 예수님을 따르고 있었고 교회에서 장로로 성실하게 섬기고 있는 것을 보고 아주 격려를 받았다.

그러나 실망스러운 일도 있었다. 거의 예수님을 믿을 것 같았는데 가까이 오다가 그만 두는 사람들이 있었다. 그럴 때는 아주 힘이 들었다. 또 어떤 때는 아주 오랜 시간이 지나서야 믿게 되는 사람도 있었다. 1976년 처음 부산에 갔을 때 영어를 배우고 싶어서 자주 우리 집에 오던 고등학생이 있었다. 교회를 다녔었지만 여러 가지 실망스러운 일을 보고는 더 이상 가지 않았다. 그래도 우리 성경공부 모임에는 가끔 오곤 했다. 그가 학교를 졸업한 후에도 우리는 계속 연락을 하였다. 그는 문제가 있을 때마다 나에게 전화를 해서는 기도를 해달라고 하였다. 한두 달이 지나면 다시 나에게 전화를 해서는 '기도해 주셔서 감사해요. 문제가 해결되었습니다. 그렇지만 예수님은 믿지 않아요.'라고 하는 것이었다.

이러한 일이 20년이나 지속되었다. 그는 자기를 나의 '믿지 못하는 친구'라고 했다. 도저히 믿어지지가 않는다는 것이었다. 내 중보 기도자들이 그렇게 오랫동안 그를 위해 기도했는데도 그가 믿지 않기 때문에 나도 그를 나의 '믿지 못하는 친구'라고 불렀다. 그는 미국으로 이민 갔다. 그런데 1996년에 내가 암에 걸렸다는 이야기를 듣고는 자기 부인에게 '내게 문제가 있을 때, 세실리는 언제나 나를 위해서 기도해 주었어요. 이제는 우리가 세실리를 위해서 기도를 해야만 해요.' 그래서 그들은 나를 위해서 기도를 시작했고 그 일을 통해서 예수님을 믿게 되었다. 비록 20년이라는 세월이 걸렸지만. 최근에 미국에서 대학에 다니는 그의 딸이 나에게 이메일을 보내왔다. 아버지에게 예수님을 전해 주어 감사하다는 것이었다. 믿음 좋은 그 딸은 선교 여행도 몇 차례 했고 언젠가는 아마 선교사로 나갈 것 같다.

한국에 있을 때, 다른 일에도 관여를 했다. 선교사가 되어 해외로 나가려는 사람들을 돕기도 했는데 그 일은 아주 재미가 있었다. 한국은 단일 문화이기 때문에 영어나 타문화 훈련을 해달라는 부탁을 자주 받았다. 하나님께서 부르시는 선교의 현장으로 나가는 일은 아주 큰 희생이 따르는 일이었기 때문에 그들을 돕는 일은 아주 큰 특권이었고 기쁨이었다.

우리 교회 대학부에서 친하게 지내던 한 젊은 부부가 바이블 컬리지를 나와 네팔 선교사로 나가게 되었다. 그들의 부르심이나 훈련에 나는 개인적으로 아무 한 일이 없지만 그들과 친하게 지냈기 때문에 그들이 어려운

우리 교회 대학부 출신 양승봉 의사 가족(네팔, V국)

시기를 겪고 인내하여 사역에 열매를 맺는 과정을 계속 지켜보는 일은 커다란 기쁨이었다.

한국에서는 교회들이 주일학교와 대예배는 오전에 드리고 교회에서 점심을 먹은 후에 오후 예배를 드린다. 내가 본국으로 오기 직전 서울에서 다니던 교회는 어른들이 오후 예배를 드릴 때 아이들 모임을 같은 시간에 했다. 그때 주일 학교 선생님들과 성경을 개관하는 프로그램을 운영했는데 아이들과 함께 연극을 했다. 그 일은 정말로 재미있었다. 아이들도 좋아하고 선생님들도 즐거워했다. 그런데 하루는 왜 그렇게 시끄러운가 하고 장로님들이 찾아오셨다. 우리가 하나님의 백성을 보내라고 바로에게 소리치고 있었기 때문이었다.

영어 주일학교 (부산)

어린이 사역이 즐겁기는 했지만 나에게는 어려웠다. 아이들에게 이야기의 내용을 생생하게 전달하기 위해서는 한국어가 완벽해야 했기 때문이었다. 그랬기 때문에 토요일에 영어로 했던 어린이 모임에서는 스트레스를 덜 받을 수 있었다. 해외로 공부하러 가는 한국 가정이 많은데 해외에 체재하는 동안 아이들은 영어 학교에 다닌다. 다시 한국에 돌아오면 부모들은 아이들이 모처럼 배운 영어를 계속 잘 유지할 수 있기를 원한다. 그래서 교회에 다니지 않는 사람도 영어로 하는 주일 학교에는 자기 아이들을 보내고 싶어 했다. 이 토요일 오후 영어 주일학교는 한 믿는 부부가 자기 아이들을 위해서 나에게 부탁해서 시작한 것이었다.

선교는 그저 '사역'만이 아니라 그리스도인으로서 사는 모습을 보여주는 것도 포함이 된다. 날마다 삶의 현장에서 만나는 사람들에게 부분적으로라도 예수님의 모습을 보여주려고 하는 것이다.

나도 그렇게 하려고 시도는 했지만 여러 번 실수를 했다. 한 번은 모임 시간에 늦어서 마음이 급한 적이 있었다. 그래서 아파트 앞 도로로 내려와 택시를 잡으려고 했다. 전화로 부르는 택시는 아주 비싸기 때문에 길 가에서 기다리다가 지나가는 택시를 잡아야 했다. 얼마 되지 않아 택시가 왔는데 바로 내 앞에 서는 것이었다. 택시에 올라타자마자 '아차, 잘못했구나' 하는 생각이 들었다. 다른 사람이 위쪽 길에서 기다리고 있었는데 그 사람은 나보다 먼저 와서 더 오래 기다리고 있었기 때문이었다. 내가 탄 택시는 그 사람이 타야했고 나는 다음에 오는 택시를 기다려야 했다. 비록 모임 시간에 늦는 한이 있어도 순서를 지켜야 했다. 그 사람은 내 모습 속에서 예수님의 사랑이나 배려, 겸손을 보지 못했을 것이었다. 그들이 가질 수 있는 생각은 아마도 '거만한 외국인'이 전부이었을 것이다. 내가 끊임없이 힘써야 할 분야는 복음이 내가 하는 말만이 아니라 내 삶을 통하여 드러나도록 애써야 하는 일이었다.

또 다른 실수도 있었다. 그저 변명을 하면서 하나님이 주신 기회를 놓칠 뻔한 일이 있었다. 하루는 부산으로 가는 기차를 탔는데 대여섯 시간이 걸리는 거리였다. 한 청년이 내 옆에 와서 앉는데 걱정이 되었다. '아, 영어 연습을 하고 싶어 할 텐데 어쩌지? 지금 피곤하니 창에 기대어 잠든 체할까?'

그런데 잠시 후 양심의 소리가 나를 이겼다. 내가 여기 한국에 온 것은 이곳 사람들에게 예수님을 전하기 위해서이다. 몇 시간 동안 이 청년이 곁에 앉아 있게 되었는데 이 기회를 놓치면 안 된다. 그래서 말을 걸어 대화를 시작했고, 영어를 연습하도록 도왔으며, 얼마 후 복음도 전할 수 있었다. 청년은 아주 흥미 있어 했고 다음 날 부산에서 나와 함께 교회에 가게 되었다. 하나님께서 권고하시는 일에 내가 반응할 수 있도록 힘을 주신 것이 참 감사했다.

한국에 있을 때 하나님의 신실하심을 경험했던 일 중 하나는 그분이 내게 주신 좋은 친구들이었다. 그 중에서 첫 번째 친구는 권춘자 간사님이었고, 또 다른 친구들도 몇 년 간 한 집에서 살면서 여러 면에서 나를 도와주었다. 보통 함께 살던 아가씨들 중에서 한 명은 직업이 없어서 비용을 내는 대신에 요리를 해주었다. (그래서 내 요리 실력이 늘지 못하기는 했지만) 그 일은 나에게 큰 도움이 되었다.

처음 한국에 도착했는데 뉴질랜드 바이블 컬리지에 가서 공부하려던 학생이 있었다(온누리 교회의 이형기 사모). 뉴질랜드로 떠나면서 자기가 돕고 있던 대학생 그룹에게 성경공부를 해주지 않겠느냐고 부탁하여 그 팀을 맡게 되었다. 모두 영문과 전공이어서 영어로 대화를 나누었고 아주 가까운 친구들이 되었다. 계속 연락을 하고 있었는데 최근 한국에 가서 만났을 때 남편들과 함께 교회나 다른 분야에서 열심히 사역하는 모습을 보니 아

OMF 팀. 우리는 OMF 선교사라는 한 팀으로서 서로에게 든든한 버팀목이 되어 주었다.

주 격려가 되었다. 부산에서 영어 성경공부 하던 그룹의 멤버들, 교회와 고신 교육 위원회에서 함께 일하던 동료들도 내가 아팠을 때 일부러 시간을 내어 나를 돌보아 주었다.

한국에 온 OMF 선교사들은 어느 누구도 사역을 함께 하지는 않았다. 그렇지만 우리는 OMF 선교사라는 한 팀으로서 서로가 서로에게 든든한 버팀목이 되어 주었고 전화나 방문으로 서로 격려하였다. 부산에서 서로 다른 시기에 함께 일하던 가정들, 그리고 서울에 살 때 이웃에 살던 가정의 우정에 특히 감사한다. 우리는 2,3주마다 늘 식사를 같이 하며 우정을 나누었다. 생일이나 가족의 경조사에 늘 나를 끼워주어 내가 그 가족에 속한 사람처럼 느끼도록 해주었다.

한국에서 내가 맡았던 일 가운데 OMF 언어 감독이라는 직책도 있었다. 선교사들이 어디에서 어떻게 언어를 배울지를 안내하고 한국어 가정교사를 구해주며 언어 공부를 계속 잘 할 수 있도록 돕는 일이었다. 또 일정한 시기마다 언어 진도 평가도 했는데 그때는 선교사들 가정에 별로 인기 있는 손님이 아니었다.

바바라 마틴과 잉가 요한슨. 다른 선교회 선교사들과의 우정도 감사했다.

또 다른 선교회 선교사들과의 우정도 아주 감사했다. 부산의 일신기독 병원은 내가 어렸을 때 주일학교에서 들은 적이 있던 곳이었는데 일신병원의 의사 바바라 마틴과 선교사 잉가 요한슨 외에 다른 선교회 선교사들과도 친하게 지냈다. 나는 병원에 간호사로 일한 것이 아니라 그 병원에 있는 의사들의 영어 성경공부 그룹을 인도했다. 그 중 몇 명과는 아직도 친하게 지내고 있다.

하나님의 신실하심을 보여주신 친구들은 또 있다. 호주와 뉴질랜드의 옛 친구들은 한결같이 몇 십 년을 우정을 나누어 주고 지원을 해주었다. 몇몇 친구는 이메일이 없던 시절에 아주 정기적으로 편지를 보내주었고, 한 동안 한 친구는 주일 아침마다 전화를 해서 내 상태가 어떤지, 그 주에 기도할 제목은 무엇인지를 물어주어 아주 큰 힘이 되었다. 개인과 교회의 기도와 재정적 지원은 얼마나 큰 격려였는지 모른다. 한 번은 한국에 온 지 얼마 되지 않았는데 치과 치료에 $100이 필요했다. 당시로서는 매우 큰돈이었고 내게는 그렇게 많은 돈이 없었다. 내가 부탁하니 의사는 분할해서 지불할 수 있도록 해 주었다. 그런데 다음 날 편지를 받았는데 호주 친구가 $100을 보내니 내게 필요한대로 쓰라는 것이었다!

우리가 매달 생활비로 받는 송금은 많지 않았다. 그런데 내가 가르치던 신학교에서 보니 돈이 부족해서 두 끼씩 밖에 먹지 않는 학생들이 있었다. 나는 적은 금액이지만 그 중 몇 명을 돕기 시작했는데, 예기치 않게 호주에서 바로 그 일을 위해서 써달라는 금전적인 선물을 지속적으로 받게 되었다. 그래서 내가 할 수 있었던 분량보다 더 많이 도울 수 있었다.

나는 한국에서 매우 안정적으로 사역을 하고 있었다. 성경공부 사역이 많이 필요하던 시기여서 매주 12번 이상 정기적으로 성경공부 그룹을 인도하고 있었다. 사역이 보람 있고 재미있었기 때문에 은퇴할 때까지 아니면 그 후에도 한국에서 그 일을 계속하고 싶었다. 그런데 1996년 어머니 이사하시는 것을 돕기 위해 잠시 호주에 돌아왔다. 그 때 의료 검진을 해보니 내가 복합 골수종(백혈병 비슷한 골수의 암)이라는 것이었다. 암 진단을 받고나서(그것은 그리 유쾌한 일은 아니었다.) 처음 얼마 동안은 장래가 어찌 될까 하는 걱정에 밤에 잠을 이루지 못했다. 그런데 사흘 째 되던 날 아침 성경을 읽는데 시편 63편 3절에 '주의 인자하심이 생명보다 나으므로 내 입술이 주를 찬양할 것이라.'는 말씀을 보게 되었다. 하나님께서는 사람의 신체가 가장 중요한 것이 아님을 기억나게 해주셨다. 영생 -그분을 알고 현재 내 삶에서 그분의 임재를 알며, 죽으면 그분과 함께 있게 될 것을 아는 것이 훨씬 더 중요한 것이었다. 하나님이 나를 사랑하시고 그분이 통치하시며 그분께서 당신의 목적을 이루어가고 계시기 때문에 나는 그분을 신뢰할 수 있었다. 하나님께서는 그렇게 나에게 진정한 의미의 평안을 주셨다. 치료가 잘 되지 않아 실망이나 좌절을 한 적도 있었지만 기본적으로 이러한 마음의 평화를 지속적으로 유지할 수 있도록 해주신 내 아버지 하나님께 깊이 감사드린다. 하나님 아버지의 신실하심은 이러한 때에도 경험할 수 있었다. 훌륭한 의료적 처치를 받을 수 있었고 많은 친구들이 나를 위해서 기도를 해주었으며 여러 면에서 나를 지원해 주었다.

나는 한국에 돌아가서 짐을 창고에 넣어 놓았다. 호주에서 치료가 끝나

시드니 성경 공부 그룹이었던 한국 사모님들의 브리스번 방문

면 후에 다시 돌아올 수 있을 것으로 생각했다. 항암 치료를 하고 줄기 세포 이식을 하고 나니 건강이 호전되었다. 그러나 아직도 계속 치료를 받아야 했기 때문에 다시 한국으로 돌아가 일을 하기는 불가능했다. 그래도 OMF 호주 본부 팀에 들어가서 함께 일할 수 있게 되어 참 감사했다.

기도 사역과 후보 선교사를 담당하는 일을 하게 되었고 또 시드니에 있는 한국인 사역에 관여하여 계속 도울 수 있었다. 한인 교회에서 몇 년 간 영어 사역을 맡아 있었는데 그곳 젊은이들과 좋은 우정을 나누어 감사했다. 그리고 매달 한국 목사님 사모님들과 성경공부를 했는데 그것도 즐거운 일이었다.

사무엘하 22장 31절에 '하나님의 도는 완전하고…'라는 말씀이 있다.

내 삶을 돌이켜보면 그 말씀에 수긍할 수밖에 없었다. 곁길로 갈 뻔 했던 적도 몇 번 있었지만 지금 돌아보아도 후회는 없다. 다시 산다고 해도 실수를 반복했던 일만 빼고는 같은 길을 걸을 것이다. 하나님께서 어떤 일을 하게 하려고 부르실 때는 그렇게 할 수 있는 능력도 주신다. 그분이 신실하시기 때문에 그분과 동행하기만 하면 가능한 일이다.

그 길이 언제나 쉽지는 않지만 내가 경험한 바로는 그 길에는 하나님께서 주시는 커다란 기쁨이 있다. 예수님을 구주로 영접하는 사람을 보는 기쁨, 그리스도인이 하나님께서 그에게 하시는 말씀을 깨닫고 말씀이 인도하는 대로 따라가는 것을 보는 기쁨은 세상의 어느 기쁨과도 비교할 수 없는 것이다. 또 그리 대단한 일이 일어나고 있는 것 같지는 않지만 하나님께서 있으라고 하시는 곳에 있다는 인식도 조용한 기쁨이었다.

앞서 언급한 대로 선교사로 살았던 내 삶을 돌아볼 때 제일 두드러지게 생각나는 것은 하나님의 신실하심이었다. 다음은 내가 좋아하는 찬송의 후렴 가사인데 이것은 나의 간증이기도 하다.

오 신실하신 주, 오 신실하신 주~
날마다 자비를 베푸시며
일용할 모든 것 내려주시니
오 신실하신 주, 나의 구주~~

세실리 모어 (모신희)

모신희, Cecily Moar의 한국 연대기

● 본문 중에 삽입된 찰스 M. 슐츠 의 피너츠 그림을 비롯한 삽화들은 모신희 선교사가 오스트레일리아의 기도 동역자들에게 보내는 선교편지에 직접 그려넣은 그림들을 해당 편지와 함께 게재한 것이다. -편집자 주

나는 한국에서 선교사로 일하면서 사역에 하나님의 도우심이 매우 필요한 것을 잘 알았기 때문에 기도 후원자들에게 정기적으로 편지를 썼다. 그러나 또한 매년 좀 더 넓은 범위의 친구들에게도 일반적인 편지를 썼는데, 그것은 그들이 나의 한국 생활상을 더 잘 이해할 수 있도록 돕기 위해서였다. 이 부분은 한국에서의 초창기 편지들이다. 그래서 대부분은 나의 첫 인상이지만, 어떤 부분은 세월이 지나면서 바뀌기도 하였다.

내가 한국에 선교사로 오게 된 역사는 10살 때쯤, 호주 주일학교에서 시작되었다. 그런데 실제로 한국으로 간 것은 20년이 지나서이었다. 1974년 6월 22일, 나는 신임 선교사들을 위한 OMF 오리엔테이션 훈련에 참석하기 위해 싱가포르에 도착했다. 그리고 나서 8월 30일, 영국에서 온 존과 크리스틴 루이스와 함께 한국에 도착했다.

이 편지들의 역사적 배경으로 말하자면, 그때는 박정희 대통령의 영부인 육영수 여사의 암살 직후였고, 서울 지하철 1호선이 막 개통되었을 때였다. 당시 한국은 자정에서 새벽 4시 사이에 통금이 있었고, 매달 15일에는 민방위 훈련이 있었다.

Overseas Missionary Fellowship
12 KARUAH ROAD
TURRAMURRA

Korea.
1976.

Prayer Comp
Letter

Thursday, 11th July, 1974

ea Scripture Union
x 347,
a Moon,
orea.
ch, 1975

ough I have to con-
g....instead there
buses. The majority
t yet an Inter-
do pray for Korea
for a suitable
oup are the
time. Do pray
and vision for
ieal.
points for
that for you

P.O. Box 695,
Pusan, 600,
SOUTH KOREA.
5th December, 1980.

he last couple of months.
r points.

Overseas Missionary Fellowship,
2 Cluny Road,
Singapore. 10.
19th July, 1974.

Companions.

Greetings from Singapore! It is great to be able to say ... for I am very conscious of the fact ... your prayers for ...

1974~1983

| 한국 연대기 1, 2기

Overseas Missionary Fellowship
2 Cluny Rd, Singapore, 10
August, 1974
싱가포르 1974년 8월 10일

싱가포르에서 인사드립니다!

가족과 친구들의 기도와 중보 덕택에 중요한 업무들을 다 처리하고 6월 22일 비행기 길에 올랐습니다. 비행은 매우 즐거웠습니다. 호주의 오지(奧地)가 얼마나 큰 곳인지 실감하였고 자카르타에 내려서는 가지런히 정리된 논밭이 인상적이었습니다.

지금 저는 새로운 타자기 앞에서 지난 몇 달 간 보고 겪었던 수많은 새로운 이야기들을 어떻게 정리해서 전해드려야 할지 난감해하며 앉아 있습니다. 불가능한 일 같기 때문에 일단 몇 가지만 이야기해 드릴게요.

새로운 친구들

클러니 가 2번지는 OMF의 본부인데, 제가 오랫동안 알고 있던 사람들을 그곳에서 여러 분 만났습니다. 선교부 책임자들과 그 가족, 싱가포르를 경유하여 떠난 선교사님들과 사무직에 일하시는 다른 분. 같은 고향 퀸즐랜드 출신으로 OMF 출판부에서 사역하고 있는 대프니 로버츠를 알게

1974년7월8월 IHQ오리엔테이션 함께 받은 신임선교사들

되어 반가웠습니다. 대프니는 올해 후반기에 안식년으로 호주에 있을 것이기에 여러분 중에는 소식을 듣거나 만날 기회가 있을지도 모르겠네요.

새로운 선교사들을 위한 오리엔테이션 코스가 1년에 세 번 여기 클러니가에서 열리는데, 우리 그룹은 어른 23명과 아이들 8명이 참여합니다. 이 그룹은 매우 국제적입니다. 영국을 비롯해서, 스위스, 폴란드, 일본, 홍콩, 필리핀, 피지, 미국 그리고 호주에 이르기까지 각 나라에서 온 사람들의 이야기를 듣는 것은 멋진 일이며, 우리가 본국에서 했던 방식이 항상 최고의 방식이 아니라는 것을 배우기 시작하는 중입니다.

저는 필리핀에서 온 중국인 소녀 로사리오 킹과 같은 방을 쓰게 되었는데, 로사리오는 타이완의 공장 소녀들 가운데에서 사역하기 위해 그곳으로 갈 예정입니다. 동시에 뉴질랜드 바이블 컬리지에서 같이 공부했던 벤 콩과 엘스페도와 같이 있게 되어 기뻤습니다. 그리고 그들의 6개월 된 아기 티모시도 봐줄 수 있었습니다. 얼마나 귀여운지 몰라요!

싱가포르 국제본부(IHQ)

새로운 도시

싱가포르는 대조적인 도시입니다. "녹색의 아름다운 나라 깨끗한 싱가포르를 만들자!"라는 슬로건에도 불구하고 모든 지역이 다 그런 깨끗한 상태는 아니었습니다. 우리는 보태닉 가든의 반대편에 살고 있었고, 부근의 길 가에는 나무가 줄지어 서 있었습니다. 호주에 있는 환경 보호가들은 기뻐할 것 같습니다. 나무들의 일부가 자라서 보도를 전부 차지해버렸습니다. 그래서 큰 길까지 나가기 위해서는 그 위를 밟으며 지나가야 합니다. 반대편 보도에는 보통 깊이 패인 배수구가 드러나 있거든요.

싱가포르에는 멋있는 고층 호텔들이 많이 있습니다. 그렇지만 매우 복잡하고, 포장도로 바로 앞에 가게들이 줄지어 있는데 그 안과 위에 작은 옛날 집들이 있습니다. 많은 고층 아파트들이 큰 식민지 풍의 집들과 인접한 곳에 세워져 있습니다. 아파트에 사는 수 천 명의 사람들은 자기 마당이 없이 살고 있는 것이지요.

여기저기서 빌딩들을 짓고 있지만, 결혼을 하지 않으면 아파트를 구할 수 없습니다. 또한 결혼을 하고 나서도 방 두세 칸인 부모님 집에서 형제, 자매들과 같이 살면서 2, 3년을 기다려야 합니다. 또 다른 아파트들은 극도로 값이 비쌉니다. 부모가 허락한다고 해도 아파트에서 살 수 있는 여유가 있는 아가씨들은 극히 드뭅니다. 여유가 있어서 좋은 집에 살 수 있다고 해도, 많은 경우 무거운 자물쇠를 채워놓고, 사나운 경비견이 보호해 주는 것이 필수적인 것으로 보입니다 .

싱가포르의 또 다른 흥미로운 점은 교통입니다. 차들이 매우 많고 또 아주 빠르게 달립니다. 교통 제한 표시에 신경 쓰는 사람은 거의 없어 보입니다. 또 만일 다른 차나 보행자가 길 가운데 막고 서 있으면, 자동차 경적이 계속해서 울립니다. 꽤 시끄럽습니다. 길을 건너는 것은 꽤 위험한 모험입니다. 차들은 대부분 낡은 모델의 택시들이며, 소형차들이 많고 에어컨이 달린 메르세데스 벤즈들을 기사들이 운전하는 차도 많습니다. 싱가포르의 버스들은 매우 빠르지만(고장나 있을 때를 제외하고) 그들이 버스 시간표에 맞춰서 달리는지 아닌지는 나에게 여전히 수수께끼입니다.

새로운 음식

언젠가 우리는 밤에 어떤 주차장에서 음식을 먹었습니다. 낮에는 주차장이었던 장소에, 밤에는 중국, 인도 음식점 가판대들이 많이 들어섭니다. 음식점들 사이에서 우리는 사테이(바베큐 막대 꼬치 요리), 100일 된 생강 달걀(맛있습니다!) 그리고 오징어를 먹었습니다. 또한 저는 클러니 가에 있는 중국 음식도 좋아하는데, 그 덕에 젓가락 사용이 꽤 능숙해졌습니다.

새로운 교회

저는 프린스 가의 장로교회에 다니고 있습니다. 성도들은 중국인인데 모든 예배는 영어로 드립니다(싱가포르 악센트 영어). 모임에서 저만 서양인이지만, 사람들은 모두 친절하고 마치 내 집처럼 편안하게 느끼기 시작하고 있습니다. 7월 동안 저는 가정 성경공부 모임에 가게 되었는데, 싱가포르인들을 그들의 집에서 만날 수 있는 좋은 기회였습니다. 높은 위치에 있는 분들, 예를 들어 대학 교수님들과 같은 분의 겸손과 친절함에 저는 정말로 깊은 인상을 받았습니다.

새로운 경험

여기에서 우리 훈련 중에 '현장 여행'이 있습니다. 싱가포르인들의 삶에 대한 태도를 알기 위해 고층 아파트 지역, 사원과 절 부근 또는 회사의 직장인들을 찾아 나서는 것이지요. 쉬운 일도 아니고 항상 즐거운 일도 아니었지만, 현지인들에게 저는 외국인으로서 얼마나 이상해 보이는지, 그리고 한국에서 의사소통을 시도하는데 있어서 겪을 언어와 문화적 어려움이 어떤 것들이 있을 수 있는지 알 수 있었던 귀중한 경험이었습니다.

아침 일찍 보태닉 가든에 가서 달리기를 하는 것은 매우 멋진 경험이었습니다. 싱가포르 사람들은 건강에 대해 관심이 많아지고 있습니다, 그래서 아침 6시에 나가면 사람들이 많이 있습니다. 아직 달빛 아래일 때여서 주변에 온통 그림자가 뛰고, 걷고 운동하며 권투하는 형체들로 가득하지요. 구령을 부르는 소리들이 그 그림자들 가운데 울려 퍼집니다. 처음에는 약간 으스스했습니다. 완전히 다르지만 비슷하게 멋진 경험이 있었는데 치자나무에 꽃이 피는 것을 지켜보던 일이었습니다. 꽃잎들이 차례로

정교하게 하나씩 감기며 피어나는 모습은 아름다웠습니다. 하지만 매우 부끄러워하는 꽃들인지라, 불행히도 보통 다른 곳에 시선을 빼앗기고 있을 때 순간적으로 꽃을 피우는 바람에 우리가 그 모습을 볼 수 있었던 일은 매우 드문 행운이었습니다.

새로운 배움

강의와 독서를 통해 저는 OMF의 정책과 조직, 아시아 역사, 이슬람과 불교와 같은 타종교들, 그리고 언어학과 음성학을 포함해 많은 것들을 배우고 있습니다. (언어학, 음성학을 배우는데 날마다 약 3시간씩 강의를 듣거나 녹음기와 함께 보냅니다. 우리는 확실히 기묘한 소리를 만들어내고 있습니다.)

민카와 마가렛

여러분들은 4월 중에 태국 남부에서 OMF의 나병 간호사인 민카 한과 마가렛 모간이 포로로 잡혀있다는 소식을 들었을 것입니다. 그들은 여전히 석방되지 못한 채 최소 수준의 음식과 거처지 안에서 건강하게 잘 지내고 있다고 합니다. 이러한 상황에 있는 그들을 위해서 계속 기도해 주십시오, 하나님께서 그분의 때에 안전하게 석방해 주시도록. 우리는 그 일이 속히 일어나기를 간절히 바라고 있습니다.

한국 소식

저는 존과 크리스틴 루이스(영국 출신)와 함께 한국에 가도록 확정이 되었습니다. 9월 초에 입국했으면 합니다. 제가 여러분들에게 부탁하고 싶은 기도제목들이 많이 있어요.

1. 비자와 특별히 서울에서의 거주 문제를 위해서 -서울에는 OMF 선교사가 없는데다 집은 구하기가 어렵고 매우 비쌉니다.
2. 저와 크리스틴 그리고 존의 짐을 배로 부치는데 한국에 안전하고 빠르게 운송되도록
3. 서울에서 하는 2년간의 어학공부를 잘 시작하도록 -우리는 신속하게 한국 땅에 정착해서 집중할 필요가 있습니다. 한국어는 매우 어려운 언어라고 합니다. 도와주세요!
4. 현재 안정과는 매우 거리가 있는 한국의 정치적 상황을 위해서 - 그렇지만 이러한 장래의 모든 새로운 경험과 불확실성에도 불구하고 제게는 늘 깊은 평안이 있습니다. 이곳이 하나님께서 나를 있게 하시는 곳이고 그분이 공급하실 것임을 알고 있기 때문입니다. 저는 정말 한국으로 가는 날을 손꼽아 기다리고 있습니다. 도착하면 곧 여러분들께 편지를 드려서 저의 새로운 주소를 알려드릴게요. 제가 주소를 갖게 될 것을 믿습니다!

그러면 안녕히…, 세실리

Korean Newsletter No.1

한국 성서 유니온,

대한민국 서울 광화문 347 사서함.

1974년 10월. 첫 번째 한국뉴스레터

한국에서 인사드립니다!

지난 번 제가 마지막으로 편지를 드렸던 이래로 가장 많이 했던 일은 여행이었던 것 같습니다. 8월 30일, 저는 크리스틴과 존 루이스와 함께 싱가포르에서 서울로 떠났습니다. 도중에 홍콩과 타이완을 경유했습니다. (홍콩에서 비행기를 갈아탔는데, 보안 경찰이 철저하게 검색을 했습니다.)

존과 크리스틴 루이스와 세실리

닥터 피터 패티슨과 그의 아내 오드리, 그 자녀들이, 성서 유니온 간사님들과 함께 서울에서 우리를 맞아 주었습니다. 크리스와 나는 꽃다발을 선물로 받았습니다. 한국에서는 그것을 남자에게 주게 되어 있었지만 존은 그러한 난처함을 당하

한국에 왔습니다.

지 않았지요. 공항에서 우리는 크리스와 존을 위해 구해 놓은 아파트로 이동했습니다. 그곳에서 전형적인 한국의 간식을 맛있게 먹었습니다. 한국의 가을에는 맛있는 사과, 배, 복숭아, 포도 그리고 단감이 풍성했는데 그것들과 함께 달콤한 블랙커피가 낮은 테이블에 차려져 있었고, 우리는 모두 바닥에 앉아서 먹었습니다.

그러나 우리의 여정은 그것이 끝이 아니었습니다. 다음날 우리는 도요타 지프를 타고 마산으로 갔습니다. 약 7시간 반이 걸린 여정이었는데 부산까지는 멋진 4차선 고속도로가 있었고, 그리고 나서는 아름다운 시골 풍경이 이어졌습니다, 밝고 푸른 논밭, 정돈된 채소 밭과 과수원, 듬성듬성 모여 있는 집 군락들, 그리고 그 배경에는 항상 높고 낮은 산들이 있었습니다. 사람들은 맨손으로 혹은 괭이를 가지고 밭에서 일을 하고 있었습니다. 논밭은 작았고 기계는 거의 없었습니다. 그리고 사람들은 한국 전통 옷과 서양의 옷을 섞어서 입고 있었습니다. 마산에서의 삶은 재미있고 분주했습니다. 피터가 어린이 구제 기금으로 시작한 소아 결핵병원에서 파트타임으로 일을 하고 있었기 때문에 두어 군데의 결핵병원에 갈 수 있었습니다. 또한 호주 장로선교회가 운영하는 부산의 일신 여성병원을 오드리와 같이 방문했다가, 가까운 마을의 가정에 가서 아기의 출산을 도울 수 있었습니다. 많은 한국 여성들이 아직 집에서 아기를 출산하고 있었고, 비록 친구나 다른 친척들도 오기는 하지만, 출산은 시어머니가 책임지고 있었습니다.

패티슨 가족, 루이스 부부, 노만 가족과 함께 (1974년)

약 열흘 후, 우리는 다시 서울로 돌아갔습니다. (이번에는 기차로) 오드리와 막내 두 자녀가 함께 올라와서 우리가 이곳 생활에 적응할 수 있도록 도와 주었습니다. 피터는 5살, 7살 난 위의 두 아이들을 일본에 있는 학교로 보내고 있었습니다. (OMF는 일본에 선교사 자녀들을 위한 학교를 운영하고 있습니다.)

우리는 어학원과 같은 중요한 특정 장소에 가기 위해 어떤 버스를 타야 하는지,(다행히 한국도 우리와 같은 방식으로 숫자를 씁니다.) 그리고 이런저런 물건을 사려면 어디로 가야 하는지를 배우면서 바쁘게 지냈습니다. 한국 화폐는 '원'인데, 호주 1달러는 약 600원입니다. 그리고 얼마냐고 묻는 것도 배웠는데, 제가 상대편이 하는 대답을 항상 알아들었던 것은 아닙니다!

또 제가 앞으로 살 곳도 찾았는데, (기도해주셔서 감사합니다!) 집 주인이 지금 미국으로 유학을 가 있어서 그 동안 그 아파트를 빌려 살기로 했습니다. 그의 동생(미세스 김)도 한 아파트에 사는데, 매우 친절히 대해 주었습니다. 어느 정도 영어를 잘 하기 때문에 우리는 보통 그럭저럭 서로의 말을 알아듣고 있습니다. 저는 꽤 여러 번 식사를 하러 그 집에 갔는데 그 중에는 특히 추수감사절과 같은 추석 때의 저녁식사도 있었습니다 . 우리는 국, 김치(절인 배추), 밥, 얇게 썬고기, 생선, 감자 튀김 그리고 잘게 썰어 양념한 채소들, 더불어 '떡'이라고 하는 쌀가루로 만들어진 작은 케익을 먹었습니다. 서양의 케이크와는 다른 모양으로 그것은 조리되지 않은 반죽 같았습니다.

미세스 김과 이곳에 사는 미국인 부부 외에 같은 아파트에 영어로 말할 수 있는 사람은 한 사람도 만나지 못했습니다. 나중에 내가 사는 아파트에 대해 말할 것이지만, 한국의 아파트는 아마도 호주의 고층 주택 아파트와 같다고 할 수 있겠습니다. 다만 다른 점은 바닥을 따뜻하게 데운다는 것이지요. 불때는 법을 알아야 가능한 것이지만! (아마 연탄을 꺼뜨려서 연탄불 붙이기가 어려웠을 때의 이야기 같음: 편주)

이제 저는 월요일에서 금요일까지 매일 어학원에 다니고 있습니다. 학교는 오전 9시에서 오후 2시 30분까지였지만 저는 일찍부터 서둘러서 집을 나섭니다. 그곳에 먼저 가고 싶어서라기 보다(물론 아직까지는 그 시간이 좋습니다), 아침 8시조차 보통 버스에 발을 올려 놓으려면 필사적이 되어야 했기 때문입니다. 버스에 발만 올려놓으면, 버스 안내양이 여러분 몸의 나머지 부분을 어떻게든 전부 끌어 넣습니다! 버스들이 많이 있고 또 매우 빠르지만 서울에는 6~7백만 명의 인구가 살기에 늘 이동 인구가 많습니다. 그리고 버스는 절정 시간대에는 언제나 만원입니다. 언어에 대해서는 나중에 더 얘기할 것이지만, 궁금해 하시는 분을 위해서 말씀드리면 "Hello"와 "How are you?"는 – 안녕하세요 –라고 하면 됩니다. 짐작하실 수 있겠지만 한국어를 배우는 데는 꽤 시간이 걸릴 것입니다.

편지 주신 여러분들께 감사 드립니다. 여러분의 소식을 들어 정말 기뻤습니다. 그리고 제때에 답장을 드리기 위해 애쓰고 있습니다. 또 기도해주셔서 감사합니다. 살아가면서 외국 땅에서의 삶을 훨씬 쉽게 해주는 작은 기적들을 많이 느끼고 있습니다. 어느 날, 내가 탄 버스가 고장이 나서 바로 내려야 하는 바람에 내가 어디에 있는지 도무지 알 수 없었습니다. 버스는 느릿느릿 가고 있었고 어학원 시작 시간에 맞추려면 급하게 가야 할 상황이었습니다. (그것도 어학원 첫째 날이었다니 믿어지실는지!) 그래서 나는 다른 사람들이 하는 대로 손짓으로 택시를 멈춰 세우려 했습니다. 택시는 모두 벌써 승객을 태우고 있었는데, 한 택시가 안에 두 사람이 타고 있었지만 멈춰주어, 1분 남기고 어학원에 도착할 수 있었습니다!

서울에는 정말 외국인(서양인)들이 많지 않습니다. (한국 전체에 약 130명의 호주인이 있는 것 같습니다.) 그래서 특히 도시 외곽에 가면 외국인들은 주목의 대상이 되는 것이 매우 일반적인 일입니다. 종종 아이들이 외국인 주위에 빙 둘러서서 "헬로, 헬로, 오케이, 오케이" 라고 부르곤 합니다. 이는 한국에서 가장 흔한 영어 표현입니다. 이곳에서 적응해야 할 다른 부분들로는;

1. 전기 스위치를 올리면 켜지고, 아래로 내리면 꺼집니다.
2. 일상의 습관을 깨뜨리는 것인데, 길을 건너기 전 '오른쪽, 왼쪽, 오른쪽' 대신에, '왼쪽, 오른쪽, 왼쪽'을 보는 것입니다. (이곳 교통은 미국식)
3. 욕실 또는 부엌으로 갈 때 신발을 갈아 신는 것 (각각의 신발은 따로 놓여 있음)
4. 미역국을 먹습니다.(정말 맛있어요!)

내가 아주 빨리 익숙해졌던 것 한 가지는 FM 라디오에서 클래식이나 가벼운 음악을 듣는 일이었습니다. 굉장히 멋지지요.

자기 전에 언어 공부를 더 해야 해서 이만 줄입니다. 그건 그렇고, 민카와 마가렛을 위해서 기도를 계속해 주기 부탁 드립니다. 그들은 여전히 태국 남부에 잡혀 있습니다.

그리고 나는 거주 비자를 위해서 기도하고 있습니다. 우리의 비자 신청서들은 현재 심사 중입니다.

그럼 안녕히…, 세실리 모어

THE KOREAN CHRONICLE

한국에서의 기록 (당신의 외국 특파원으로부터)

1975년 2월판

사설

가장 좋은 일들은 그것에 대한 기대감이 거의 없을 때 일어납니다, 비록 이 일은 제가 기대했어야 했지만요. 어느 날 아침, 학교를 가면서 내가 왜 이 아파트에 사는 사람들을 사귀지 못하는지를 생각하고 있었습니다. 그래서 하나님께 내가 어떻게 해야 할지를 여쭈었지요.

그날 저녁 내가 저녁 식사를 준비하고 있는데, 방 문 앞에 노크 소리가 들렸습니다. 한 아주머니가 아이를 등에 업고 서 있었습니다. 나는 그 분을 안으로 들어오시게 해서 약 30분 동안 이야기를 나누었습니다.

그 아주머니는 바로 우리와 같은 아파트 맞은편 동에 살고 있었고, 그녀의 대학생 시누이가 우리 집에 온 적이 있었습니다. 나는 더 이상은 알아듣지 못했지만, 대화는 재미있었습니다. 한 문장에서 한두 단어밖에 알지 못하면서 30분 동안 누군가의 질문에 대답해주려고 애쓰는 상황, 이는 웃음을 자아내는 즐거운 일이었습니다.

그때로부터 우리는 서로의 집을 몇 번씩 방문했고, 미세스 최는 맛있는 음식도 갖다 주었습니다. 지난 주일, 나는 그녀와 함께 교회를 가는 것으

권춘자 간사님과 함께

로 생각했는데, 다른 시누이와 가게 되어 있었습니다. 어딘가에서 내가 무엇인가를 잘못 알아들었나 봅니다. 이러한 것들이 삶을 무척 재미있게 만듭니다!

지방 소식

2월 6일, 성서 유니온에서 일하고 있는 권 자매가 나와 아파트를 같이 쓰게 되었습니다. 그녀가 여기 있는 것은 대단한 일입니다. 나는 한국어 실력을 향상시켜야 할 뿐 아니라, 한국 문화에 대해서도 많이 배워야만 합니다. 하지만 개인적으로 또 문화적으로 직면하는 장벽 제거의 과정은 전혀 고통스럽지 않은 것이 아니었습니다.

2월 8일, 새벽 6시 반에 권 자매와 같이 공중목욕탕에 갔습니다. 머리 샤워까지 포함해 목욕 시간이 약 한 시간 반 정도 걸렸는데, 내 생각에 한국 시간 기준으로 꽤 빨리 한 편입니다. 지난 편지에서 언급한 거주 비자는 받았지만 6개월마다 갱신해야 합니다. 그래서 또 다시 신청할 시간이 거의 다 되었습니다.

크리스마스 방학 이후에도 어학원 공부는 전과 같이 계속됩니다. 저는 여전히 공부가 재미있고 여전히 계획된 날까지 충분히 잘 정리하지는 못해도, 이번 학기는 다니는 것이 조금 더 쉬워진 것 같습니다. 우리는 첫 번 째 교과서 (P440)의 마지막 단원을 배우고 있습니다. 그것은 우리가 많은 내용을 배웠다는 의미인데, 불행하게도 회화에서 그것을 자유롭게 사용하는 것은 또 다른 문제입니다. 듣고 이해하는 것이 지금 제게 제일 어렵기 때문에 이번 학기에는 테이프 녹음기로 공부하는 시간을 더 늘리려고 합니다.

약간의 친교

마산에서 패티슨 가족과 함께 행복한 크리스마스를 보냈습니다. 피터가 일하고 있는 마산의 아동 결핵 병원에서 했던 크리스마스 파티가 재미있었습니다. 성탄 연극을 하는데 곱사등을 한 동방박사(등에 결핵이 있던 분)가 자기 이마를 땅에 대기 위해 애를 써서 무릎을 꿇던 모습이 매우 감동적이었습니다.

저는 성탄절 날 예배를 드리러 현지 교회에 갔습니다. (내가 아는 캐롤 송들이었음!) 그곳에서 교회 사람들과 함께 김치(절인 배추)와 국으로 식사를 같이 했습니다. 성탄절 날 밤, 건포도를 넣은 푸딩과 구운 치킨과 함께 진짜 크리스마스를 즐겼습니다. 지난 주말에 호주 청소년 오케스트라에 갔었는데, 가장 즐거운 시간이었습니다.

집과 정원

제 집에는 비록 정원은 없지만(서울에서 정원을 가진 사람은 극소수임) 여러분이 한번 방문하고 싶으실 것이라는 생각이 들었습니다. 우리 아파트는 도시의 중심부에서 버스로 20분 정도 걸리는 곳에 있는데 저는 비교적 작은 아파트의 3층에 살고 있습니다. 신발은 들어와서 문 옆에 벗어두세요. 그리고 부엌과 입구로 올라오세요. 그것은 모두 하나의 공간으로 깨끗하게 잘 닦인 마룻바닥으로 되어 있답니다. (이 아파트에서 나는 부엌으로 들어가기 위해서 신발을 바꾸어 신을 필요가 없습니다.)

부엌은 싱크대와 컵 받침대, 테이블 그리고 두 개의 원형 가스버너, 김치와 고춧가루가 뿜어내는 전형적인 한국 향기로 이루어져 있습니다. 마루에는 연탄 난로가 설치되어 있는데, 그 안에 두 개의 원형 연탄이 깊이 들어있지요. 이러한 열을 통해 거실의 온돌바닥을 따뜻하게 데우는 것인데, 물도 데우고 난로 위에서 요리도 할 수 있습니다. 그것은 하루 24시간 꺼지지 않도록 잘 유지해야 합니다.

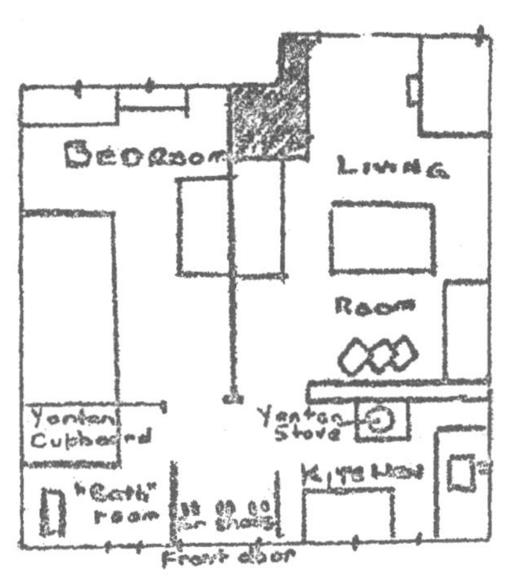

왼쪽에는 명칭뿐이기는 하지만 욕실이 있습니다. 그곳에는 찬물을 트는 꼭지가 있지요. (우리는 얼마든지 연탄 위에 물을 데울 수 있습니다.) 그리고 한국 스타일의 변기가 있습니다. 그 바닥은 좋은 타일인데 보통 젖어 있기 때문에 신발을 갈아 신고 들어가야 합니다 .한국 여인들은 빨래를 욕실 바

1974년 연희동 아파트 주변 모습

닥 위에서 하고 그 물은 욕실 바닥과 거의 같은 높이로 설치 되어있는 변기로 빠져나갑니다. 이는 매우 편리해 보입니다.

욕실 밖에는 또 하나의 연탄난로(침실 바닥을 데우기 위한 것)를 포함한 선반이 있고 여분 연탄들이 쌓여 있습니다.

다음에는 권 자매의 침실이 될 방이 있습니다. 우리의 여행 가방들이 이곳 공간을 꽤 많이 차지하고 있습니다.

우리 거실에서 밖을 내다보면 지붕 꼭대기 위로 아름다운 산들이 보입니다. 이 방은 기름먹여 윤기가 나는 종이바닥(장판)으로 되어있고, 꽃 벽지로 꾸며져 있습니다. 가구는 의자와 책상이 하나씩 있고, 권 자매의 작은 페달 오르간과 책장, 난로(온돌은 방 전체를 따뜻하게 해주지 못합니다.), 접혀지는 낮은 상, 스폰지 고무 매트리스(이것은 잘 접혀서 낮에 앉는 자리가 되어줍니다.) 그리고 방석이 몇 개 있습니다.

'거실'은 매우 알맞은 이름입니다. 우리는 이곳에서 먹고, 공부하고, 빨래를 말리고, 손님들을 접대하고 또 잠도 잡니다. 좋은 한국 방식대로, 저는 여러분에게 커피(보통 달달한 블랙커피)와 과일을 내드리겠습니다. 또한 온돌바닥 중에서 가장 따끈한 자리에 앉으시라고 하면 여러분은 방석이 필요할 겁니다. 그렇게 방석 위에 앉는다고 해도 어쩌면 너무 뜨거워서 자리를 옮겨야 할지 모르겠습니다!

저는 이곳에서 사는 것이 매우 행복하며, 지난 주, 일 년을 더 이 아파트에서 살 수 있다는 소식을 듣고 무척 좋았습니다. 진실로 저는 "주께 감사하라, 그의 성실하신 사랑이 영원함이라."고 고백해야 합니다. 지금 편지 쓸 공간이 다 되어 가서 빨리 잠시 얘기하겠습니다.

패션 소식

벨벳(진짜 혹은 모조품)이 이번 겨울 한국에서 유행하고 있습니다. 맥시, 미디, 길고 짧은 모든 코트와 정장이 전부 벨벳입니다. 신사들도 그것을 입고 있습니다. 하루는 심지어 버스 기사도 벨벳 자켓을 입고 있었습니다.

마스크 파란 색 또는 흰색 면으로 만들어진 병원 스타일인데 이것 또한 유행하고 있습니다. 이것의 목적은 순수하게 실용적입니다. 당신의 얼굴을 따뜻하게 유지하기 위해서입니다. 그런데 길에서 많은 사람들이 마스크를 쓰고 있는 것을 보니 처음에는 정말로 매우 이상했답니다. (나는 이 두 가지 패션 유행을 어느 쪽도 따르지 않았지요. 아직은!!)

날씨 대체적으로 맑은 날들입니다. 지난 주가 포근했다고 하는데도, 가볍게 눈이 조금 내렸고 기온은 낮에 0℃ 정도, 밤에는 더 내려갔습니다.

스포츠 현재 사람들이 가장 많이 하는 스포츠는 아이스 스케이팅입니다. 얼어버린 강의 한 부분을 가로막으면 바로 스케이트 장이 됩니다!

'나라 안' 소식들

1월 초 퀸즐랜드 친구 베스 니콜슨이 서울에 도착하여 어학원(나와는 다른 학교)에서 공부를 시작했습니다. 베스는 부산에 있는 일신 여성병원(호주 장로선교회가 운영하는)에서 일하기로 했습니다.

2월 11일 화요일 설날, 지금은 공식 공휴일은 아니지만 많은 사람들이 여전히 친척들을 방문해 음식을 나누어 먹고 그들의 조상들에게 음식을 차려 냅니다. (우리는 오징어 튀김으로 이 날을 기념했습니다!)

2월 12일 수요일 정부 정책의 여론을 확인하기 위해서 국민투표가 있는 날이었습니다. (그 이틀은 어학원에서 공휴일로 지정했음)

앞으로 있을 일들

고등학교 영어 성경공부 작년에 내가 가르치도록 약속이 되어 있었던 영어 성경공부반을 하지 않게 되었습니다. 하지만 성서 유니온의 윤 선생님이 내가 여자 고등학교에서 가르칠 수 있도록 기회를 찾고 있습니다.

얼마 전 뉴질랜드 바이블 컬리지로(내가 공부했던 학교) 공부하러 떠났던 한 한국 소녀(온누리의 이형기 사모)가 이화여대 영문과에서 자기가 이끌던 졸업생들을 소개시켜 주었는데, 그들은 영어로 성경을 공부하고 싶어 했습니다. 그래서 나는 토요일 오후에 격식을 차리지 않는 모임으로 시작하려고 합니다. 지난 토요일에 두 명이 왔습니다. 한 명은 10~11살 정도 아이들이 90명이나 되는 반을 가르치는 선생님이었습니다.

영문과 졸업생 그룹 (1974년)

개인적인 소식

크리스마스에 여러분들로부터 많은 소식을 듣게 되어 정말 좋았습니다. 여러분들의 기도편지와 카드, 그리고 기도에 무척 감사 드립니다. 그리고 계속해서 민카와 마가렛(태국 남부에 붙잡혀 있는 2명의 OMF 간호사들)을 위해서 기도해 주셨으면 합니다. 우리는 아직까지도 그들의 석방 소식을 듣지 못했습니다.

그럼 이만…, 세실리

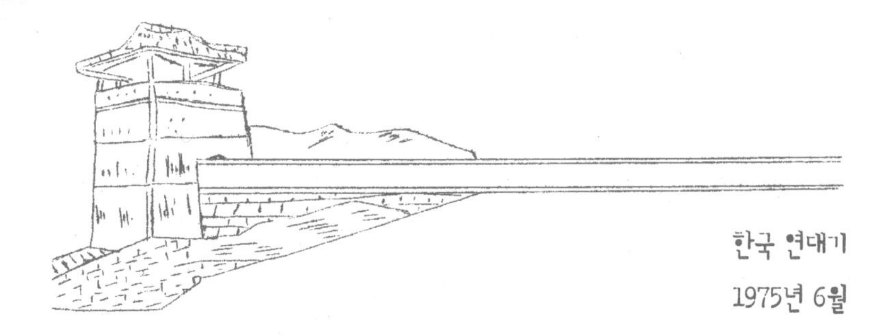

한국 연대기

1975년 6월

사설

"한국어를 공부하고 있다고 했지요. 그렇다면 하루 종일 무엇을 하고 지내나요?" 이 질문이 많은 편지에 있었기 때문에, 그 질문에 대한 답을 여기에 적으면 좋겠다는 생각이 들었습니다.

평일 하루 일과는 이렇습니다.

아침 7시가 되면 집을 나와 어학원으로 갑니다. 버스를 타거나 혹은 걷거나(걸으면 55분이 걸리지만 테니스나 조깅을 대체할 수 있는 좋은 운동임) 일찍 출발하는 것은 군중을 피하고, 수업이 시작되기 전에 공부를 하려는 시도입니다.

오전 9시. 어학원에서 45분 수업이 다섯 시간 있는데 그 첫 시간이 시작됩니다. (원래는 6시간이었는데, 시간표가 방금 변경되었음) 이러한 수업들 중 세 시간은 선생님 한 명과 6~7명이 같이 그룹으로 합니다. 크게 읽는 연습과 새로 배운 문법과 어휘를 바탕으로 문장들을 만드는 연습을 하고, 이야기(물론 한국어로 된 이야기이지요.)를 듣고, 그에 대한 질문에 답을 하는 시간을 가집니다. 핵심 단어들을 사용하려고 노력하지요. 수업 중 한 시간은 랩에서 어학 실습을 합니다. (학생 각자의 헤드폰과 마이크가 완비되어 있음.) 그곳에서 우리는 테이프로 그날 하루의 대화문을 반복해서 듣고, 새로운 문법 패턴을 연습합니다. 선생님은 매일 주파수를 맞추어놓고, 우리에게 들려주십니다. 그리고 우리의 발음을 고쳐주십니다. 우리가 졸지 않도록 재미있는 평을 해주시지요.

하루 중 마지막 수업은 한자 쓰는 법을 배우는데 (읽기도 배우면 좋겠지만 희망 사항이지요.) 불행하게도 신문을 비롯한 많은 인쇄물에 한글과 한자가 섞여 있기 때문입니다.

오후 1시 30분 경 집에 가는 시간입니다. 슈퍼마켓 또는 우체국에 들를 때도 있고, 작은 구멍가게에는 매일 들러서 그날의 필요한 물품들을 사거나 배웠던 말들을 연습하기 위해서 몇 분 정도 이야기를 시도합니다. 한 번은, 가게 주인이 나에게 이렇게 물었습니다.

"당신은 어디서 왔나요? 몇 살인가요? 결혼은 했나요? 왜 안 했나요? 남자친구 없어요?"

그 모든 질문을 이해하고 대답할 수 있다는 것이 매우 흥분이 되었지요, (여러분은 그 대답들을 듣고 싶어 하지 않겠지요?) 그러나 이제는 새로운 사람을 만나서 이런 질문들을 받아도 점점 그것에 익숙해 가고 있답니다.

집에서의 생활은 보통 아주 평범합니다. 집안 일(바닥에서 살면 그것이 깨끗하게 유지되도록 닦아야 합니다!), 요리(권 자매는 나에게 한국요리 가르치는 일에 성공했음), 그리고 어학원 숙제 (우선 완벽하게 이해하지 못한 한국어 이야기를 다시 써야만 한다면 꽤 시간이 걸리지요!)

위에 사항들 이외에, 나를 바쁘게 만드는 다른 이유들도 있습니다. 이웃 집의 2살 된 딸, 은정이는 가끔씩 내 방문을 노크하며 "세실아, 놀자!"라고 합니다. 또 다른 이웃에 사는 한국인 친구가 우리 집에 들를 수도 있고 나를 초대해서 식사를 대접하기도 합니다. 이는 종종 2~3시간이 걸리는데 시간이 빨리 갑니다. 그러나 언어와 우정의 두 측면에서 볼 때, 이는 매우 가치 있는 시간입니다.

이번 학기에 나는 화요일 오후에 고등학교 영어 성경 반을 가르치는데, 화요일 저녁에 우리 집에서 가지는 영한 성경공부만큼이나(약 5~6명의 어른들이 모임) 준비 시간이 많이 필요합니다. 화요일 참석자들은 모두 대학 졸업자이고 영어에 대한 이해가 높지만 회화는 어려워합니다.

주말은 집안 일을 하거나 남은 시간에는 어학공부, 성경공부 준비 그리고 편지를 씁니다. (이 일은 그리 잘 하고 있지 못하고 있습니다.) 뿐만 아니라 이웃을 방문하거나 또는 누군가의 집에 초대를 받는 일로 보냅니다. 한국인들은 매우 관광을 좋아하기 때문에 나는 때때로 주일 예배 후 초대받아 어딘가에 가기도 합니다. 또 다시 한국어 회화를 연습할 수 있는 좋은 기회이기는 하지만, 한편으로 매우 피곤하기도 합니다.

친교 활동기록들

내가 최근에 다녀왔던 장소들은 다음과 같습니다.

속리산 부활절 휴일 동안 미스 김과 같이 속리산 국립공원에 가서 하룻밤을 지냈습니다. 산으로 둘러싸여 있던 경치는 정말로 환상적이었습니다. 매우 흥미로운 절과 다른 불당 건물들도 가보았지요. 여러분도 제가 그곳에서 보았던 한국인의 삶 중에서 흥미로운 면들을 듣고 싶으실 것 같은 생각이 드네요. 속리산에서 (다른 '신혼여행 휴양지'처럼) 택시들은 그곳에 들어오는 버스들을 맞이하는데, 신혼부부들을 그들이 묵는 호텔로 데려다 주는 택시 기사들은 다음 며칠 동안 계속 그들의 운전수가 됩니다. 모든 관광지에 데려다 주는데 그들과 함께 걸어 다니면서 모든 적절한 장소에서 사진을 찍어줍니다. 그래서 우리는 신혼 부부들만이 아니라 세 사람이 짝이 되어 다니는 신혼여행도 보았지요!

남이섬 서울에서 두 시간 운전해 가면 강 안에 아름다운 섬 휴양지가 펼쳐져 있습니다. 어학원 소풍으로, 학생 30여명과 선생님 10명이 갔습니다. 날씨는 환상적이었고, 나는 여름 들어 처음으로 피부를 태웠습니다!

약혼식 어느 토요일, 나는 한 친구와 약혼식에 갔습니다. 보통 크리스천 커플들의 경우, 식사 전에 짧은 예배(찬양, 성경읽기, 기도 그리고 짧은 소감)를 드리는 부분을 제외하고는 서양에서의 결혼식 날 식사와 비슷했습니다. 그 후, 선물 교환이 있었는데, 남자는 여자의 손에 반지를 끼워 주고 여자는 그에게 시계와 만년필을 선물로 주었습니다.

앞으로 있을 일들

어학원 여름방학이 6월 28일 날 시작됩니다. 아직 계획이 다 정해진 것은 아니지만, 한국어 회화와 쓰기 연습을 많이 해야 할 것 같습니다. 아마도 부산에서 베스 니콜슨과 조금 시간을 보내고, 마산에서 패티슨 가족과 같이 있다가 제주도에서 몇 주간 햇볕을 쐬며 시간을 보낼 것 같습니다. (여름철에는 비가 많이 온다고 합니다.)

날씨, 집 그리고 정원

눈부시게 아름다운 봄이 회색도시에 꽃을 피우고, 라일락과 함박꽃 그리고 새로운 초록 나뭇잎들이 여기저기서 피어났습니다. 정말 아름다웠습니다! 봄의 열기가 서울을 덮어 어디서나 사람들이 봄맞이 대청소를 하고 페인트 칠을 했습니다. 나는 김 선생님을 도와 우리 집 창문 위에 있는 그림을 다시 칠하는 작업을 했습니다. 우리 아파트 사람들은 그것을 꽤 흥미있어 했습니다. 많이 이들이 우리 집을 지나가면서 다양한 평가를 해주었는데, 나는 그 말들을 대부분 알아들을 수 있었습니다!

국내 소식

월요일, 5월 5일 어린이날(공휴일) 저는 김 선생님 가정과 궁궐 한군데를 돌아보고 민속 박물관을 견학했습니다. (목요일, 5월 8일은 어버이의 날인데 공휴일이 아님!)

일요일, 5월 18일은 석가 탄신일입니다. 한국에서 올해 처음으로 공휴일이 되었습니다. 그러나 언제나 그렇듯이 공휴일이라도 모든 가게가 문을 엽니다. 한국에서 공휴일에 대해 말하고 있자니 한국에서는 부활절에 하루도 쉬는 날이 없다는 것이 얼마나 저에게 이상하게 보이는지 모릅니다. 그것은 내가 더 이상 훌륭한 기독교 유산을 지닌 서양 문화 안에서 살고 있지 않다는 사실을 상기시켜 주었습니다.

개인적인 소식

제 거주 비자를 위해서 기도해 주셔서 정말 감사 드립니다. 비자는 12개월 더 갱신되었습니다. 어학 실력은 서서히 향상되고 있고, 공부가 즐겁기는 한데, 이 단계에서는 한국 친구들이 말을 하고 있을 때 단어나 구절을 몇 가지 밖에 이해하지 못할 때 조금 낙심이 됩니다. 그러나 한번에 한 사람과 하는 대화는 더 쉬워지고 있습니다.

여러분들은 제가 지난 번 편지를 드렸던 이후로, 민카와 마가렛의 시신이 발견되었다는 소식을 들으셨을 것입니다. 그들은 몇 달 전 총에 맞아 숨졌습니다. 그들은 자신들의 상급이 있는 나라에 들어갔지만 우리는 지금이라도 그들의 삶이 태국 남부에서 열매 맺기를 위해서 기도합시다. 우리의 삶이 하나님 앞에서 효과적일 수 있도록 모든 선교사들을 위해서 기도해 주시기 바랍니다. 최근의 사건들을 보면 선교사들이 얼마나 오랫동안 일할 수 있을지 의구심이 드는 나라들이 있기도 합니다. 그러나 "우리 주는 위대하시며 능력이 많으시며 그 지혜가 무궁하십니다."(시편 147:5) 그리고 그분께서는 자신이 목표하고 계신 바들을 친히 이루실 것입니다.

그럼 이만…, 세실리

김선생님 가정과 궁궐 방문

한국 연대기
1975년 9월

한라산에서

최신 뉴스(STOP PRESS!!!!!)

오늘은 1975년 9월 10일 수요일, 역사적인 날입니다. 제가 남한에서 가장 높은 산의 정상에 올라갔답니다! (죄송합니다. 여러분이 이 소식을 받을 때쯤이면 이미 옛 소식이 되어버렸겠지요.) 한라산은 제주도의 중심부에 있는 사화산인데, 해발 1,950m입니다. 우리는 대략 해발 750m까지 버스로 가서, 높이가 거의 1,200여m 되는 곳까지 올라갔습니다. 그런데 꼭대기로 가는 마지막 10여km는 그 능선이 울퉁불퉁한 자갈길 (어떤 때는 계단)로 되어 있었고 등산이라기보다는 오히려 하이킹에 더 가까웠습니다. 마지막 코스만 조금 가팔랐는데 그때도 길이 완전 절벽이거나 그와 같은 길이 아니었습니다. 만일 그렇지 않았다면 아마도 저는 그곳에 올라가지 못했을 것입니다! 우리는 같은 길을 6~7시간 걸쳐서 내려왔는데 그 20여 km의 울퉁불퉁한 자갈길 때문에 내 발이 불평을 하고 있었습니다.

정상까지 갔던 일은 굉장히 멋진 경험이었습니다. 그래서 나는 언젠가 다른 쪽에서부터 또 다시 오르고 싶습니다. 우리는 우림과 해변 숲 지대 그리고 넓은 관목 숲을 지났습니다. 퀸즈랜드의 비나바라, 빅토리아의 벨그라브 지역 그리고 뉴질랜드의 와이타케레스를 연상하게 하는 장면이었고, 아름다운 야생화도 수없이 많이 피어 있습니다. 정상에서 우리는 분화구와 그 호수에 비친 멋진 햇살 장면을 보았지만, 아래쪽으로 구름과 실안개가 많이 끼어 있어서 섬 전체 풍경을 잘 볼 수가 없었습니다. 비록 구름이나 안개가 우리 가까이까지 왔다갔다했지만 구름 속을 걷지는 않았습니다. 여기 있는 동안 정상을 몇 번 밖에 보지 못했기 때문에 비교적 맑은 날씨에 등산할 수 있었던 것은 매우 다행한 일이었어요. 선선한 가을 날씨도 우리 편이 되어주었던 것이지요.

제가 어학원 방학 2주간을 베스 니콜라슨(장로교 선교회 파송 호주 의사)와 함께 지내고 있는 곳은 제주도랍니다. (베스는 주임 요리사였고 나는 설거지 담당이었는데, 그 일은 우리 둘에게 다 괜찮았어요.) 우리는 만족스러운 휴일을 보내고 있고 이 일을 위해 기도해 주신 여러분께 감사드립니다.

제주도

제주도는 지구상에서 가장 아름다운 장소 중 하나임에 틀림없습니다. 섬 한 가운데에 있는 장엄한 한라산은 작은 산들에 의해 둘러싸여 있고, 사화산과 바다로 뻗어있는 가파른 육지의 경사면은 논과 수수밭으로 조각조각 덮여 있습니다. 대부분 밝은 녹색이지만 부분적으로 노랗게 물들어 있습니다. 아름답고 하얀 모래 해변도 몇 군데 있지만, 해변가는 보통 화산 바위로 이루어져 있습니다. 우리가 머무는 기간 동안 바다는 방앗간 연못처럼 잔잔했고 그 옅은 파란색이 매우 아름다웠습니다. 이곳의 아름다움과 평화는 굉장히 감동적이었고, 우리에게는 시편 104편의 말씀이 새롭게 살아서 다가왔습니다. 우리가 보고 들었던 모든 것들에 대해서 책이라도 한 권 쓸 수 있을 것 같은 느낌이지만 자제하면서 간략하게 쓰지 않으면 아마도 여러분은 영영 제 편지를 받지 못하실 것 같아요.

우리가 보았던 것들

- 마을의 집들 전체가 그곳의 돌들로 지어져 있었습니다. 짚으로 이어서 엮은 지붕이었습니다.
- 밭 사이에도 역시 돌담들이 세워져 있었습니다.
- 여자들이 길을 닦는 일과 같은 힘겨운 육체노동을 하고 있었습니다.
- 제주도에서는 남녀의 역할이 바뀌어 있어서 남자가 집에서 아이들을 돌본다고 합니다. 그런데 우리는 밭에서 여자뿐 아니라 남자가 일하는 것도 보았습니다.
-해녀: 제주 여행의 볼거리 중 하나입니다. 이 여인들은 조개를 잡기 위해 바다 속으로 잠수해 들어갑니다. 그들은 고글을 끼지만 스쿠버 세트나 지느러미 발은 거의 착용하지 않습니다. 그들은 매우 깊이 잠수하며, 오랫동안 바다 속에 머물러 있습니다. 바다 표면으로 올라오면서 특이한 휘파람 소리를 내는데 빠른 수압 감소를 막기 위해서입니다. 우리는 근처 바위에서 몇 사람과 이야기를 나누었는데, 후에 그들은 조개 깐 것을 우리에게 조금 주었습니다.
- 제주 사람들은 매우 친절하며 더 느긋한 속도로 살고 있었습니다.
- 길가나 지붕 위, 사실상 거의 모든 곳에 참깨 식물을 묶은 단들이 세워져 있습니다. 날마다 여인들이 마른 씨앗을 모으기 위해 거적 위에서 그것들을 흔듭니다.
- 완전히 영광스러운 일출과 일몰, 그리고 수평선에 떠 있는 고깃배들. 배들은 밤에 빛의 도시처럼 보였습니다.

우리가 했던 일들

바다 바로 옆에 있는 또 다른 작은 화산의 꼭대기까지 올라가 그곳에서 온통 환상적인 주변의 경관을 보며 햇살 아래서 점심을 먹었습니다. 집에서 가까운 바위 수영장에 매일 수영도 하고 일광욕도 하러 내려갔습니다. 돌들은 거의 모래만큼이나 편안했습니다. 우리가 머무르고 있는 주변을 많이 산책했습니다.

하루는 오후에 근처 마을에 갔는데 한 집에서 들어오라고 했습니다. 제주 사람들은 거의 다른 사투리를 쓰기 때문에 어르신들과의 대화는 어려웠습니다. 때때로 더 어린 아가씨가 우리에게 통역을 해주기도 했지요. 우리가 떠나는데 큰 호박을 선물로 주었습니다!

콜롬바 선교사들이 운영하는 농장을 방문했습니다. 한 호주 부부(둘 다 수의사)가 그곳에서 삽니다. 그래서 우리는 농장을 돌아보며 매우 즐거운 시간을 보냈습니다. (세 가닥 가시 철조망으로 둘러싸인 문을 보니 우리 호주 농장이 생각났지요.) 호주인들과 얘기를 나누고 슬림 더스티(호주의 컨트리 음악가-역주)의 음악을 들었는데 정말 즐거웠습니다. 난 그다지 컨츄리 웨스턴 음악을 좋아하지 않았는데, 웬일인지 여기에서는 갑자기 이전에 별 생각이 없던 것들이 감사하기도 하네요.

책들을 조금 읽었고(만약에 기회가 된다면, 코리텐 붐의 「주는 나의 피난처」를 읽어보세요. 정말 읽을 가치가 있습니다.) 편지도 썼고 날마다 함께 성경공부를 했습니다. (한국어로 생각하려고 노력하지 않으면서 그 일을 하니 좋았습니다.) 그리고 지금 우리가 '선교적 상황'에 있기 때문에 이전에 잘 알고 있던 말씀들이 새롭게 깨달아지는 것을 발견하였습니다.

지금까지 저는 다음 휴가 때 모두 제주도에 오시라고 여러분을 설득을 하였습니다. 오는 길에 저를 방문하는 것을 잊지 말아 주세요! 우리가 제주도에서 머물고 있는 집이 극동 방송국 송신소에 있다고 말씀 드리는 것을 잊었네요. 메이비스와 노만 블레이크(극동 방송국에 파견된 OMF선교사)네 옆집이랍니다. 그들과 친하게 되어 너무나 기쁩니다.(노만은 호주인임) 그리고 블레이크 부인은 요리를 아주 잘합니다. 일요일에 구운 고기 만찬이 있었습니다!

이제 제주도를 격찬하는 것은 멈추고 역사상 처음 있었던 한국 성서 유니온 캠프에 대해서 말씀 드려야겠습니다. 이 캠프는 권춘자 간사님과 제가 함께 운영했던 캠프였습니다.

우리는 그 캠프를 한 학교에서만 홍보하기로 했는데, 교장 선생님을 방문한지 일주일 만에 여학생 40명의 지원서를 받았습니다. 우리가 요청한 인원은 16명이었는데 말이지요! 결국 20명이 왔습니다. 이는 알맞은 인

성서유니온 여학생 캠프

원이었고 매우 사랑스러운 아이들이었습니다.

여기는 교회에서 캠프를 하면 참가자 수가 보통 수백 명이어서 대부분 가르침이 교회 예배 형식의 설교를 통해서 이루어집니다.

조장들이 학생들과 개인적으로 친하게 되고 성경공부를 소그룹에서 토론 형식으로 하는 캠프는 상대적으로 새로운 것이어서 조장 훈련이 나의 서툰 한국 말때문에 좀 어려웠습니다. 나와 함께 사는 권 자매가 영어를 말할 수 있는 유일한 조장이었는데 캠프 며칠 전까지 마산에 내려오지 않았기 때문이었습니다. (덧붙여 말하는데 권자매는 정말로 대단한 캠프 지도자였고, 캠프는 매우 좋았습니다.)

패티슨 선교사님도 시작할 때는 도와주셨지만 가족 휴가를 가셨습니다. 가끔 완전히 포기하고 싶은 생각도 들었습니다. 조장으로 내가 의지하고 있었던 한 사람이 마지막 순간에 올 수 없다고 했고, 우리가 돌아가기로

여고생 성경 공부반

되어 있던 배가 취소되는 등의 사건도 발생했습니다. 하지만 하나님은 신실하셨고 캠프는 내가 감히 기대했던 것보다 훨씬 더 좋았습니다.

많은 기도의 응답이 있었습니다. 우리가 빌렸던 텐트들은 방수되는 것이 아니었습니다. 하지만 그때가 우기였음에도 불구하고 비가 온 것은 마지막 날 아침 잠시 동안뿐이었습니다. 캠프에 왔던 20명 중에서 전에 교회에 가본 학생은 몇 명뿐이었지만, 대다수가 성경에 정말로 흥미를 보였습니다.

우리가 지속적으로 이 소녀들과 관계를 맺고 그들이 예수 그리스도를 자신의 구세주로 알도록 인도하려고 하는데 기도해 주세요. 앞으로 성서유니온 캠프를 어떻게 운영할지 도움이 될 만한 것들을 많이 배웠습니다. 12개월의 어학원 공부가 끝나면, 고등학생 사역을 하고 싶습니다.

9월 15일 이후로는 어학원 공부를 위해 서울로 돌아가 있을 것입니다.

이사벨 여중생 캠프

화요일 저녁 우리 집 아파트에서 있는 성경공부를 계속할 것이고, 또한 금요일 저녁 대학 졸업생들 성경공부도 부탁 받았는데 아직 최종적으로는 결정하지 못했습니다.

여러분 중에 나의 3월 뉴스레터를 보고 내가 어디서 자느냐고 물은 분이 계십니다. 거실이 제 침실도 됩니다. 나는 바닥에 접이용 매트리스를 깔고 잡니다. 그리고 이 매트리스는 낮 동안에는 앉는 자리용으로 접어서 씁니다. 내 책상 아래에 침구가 보관되어 있는데 그곳을 커튼으로 가려놓았어요. 매우 편리하지요.

아, 그리고 지금 제게 우편번호가 있는 것에 주목해 주세요. -110- 이것을 사용해 주시면 이곳 우체국은 기뻐할 겁니다. 우체국에 대해서 말하고 있자니, 호주에서는 편지 쓰는 일이 점점 매우 빠른 속도로 사치가 되어가고 있는 것 같아요!

이 사실과 또 제가 지금 1년 이상 해외에 있는 것을 생각해 보니, 제게 2년 동안 소식을 들려주지 않는 분들은 성탄절 이후에 제 편지 수신자 명단에서 삭제하려고 생각합니다. 만일 여러분이 이 범주에 속하는데도 계속 제 편지를 받고 싶으시다면, 기쁘게 보내드리겠습니다. 다만 저에게나 헤이즐에게 올해 말이 되기 전에 알려주시겠습니까?

감사합니다.

그럼 이만 여기서…, 세실리

한국 연대기

1976년 3월

내가 정말로 이곳의 새 환경에 잘 순응하고 있다는 결론을 내리게 되었습니다. 어느 날, 일어났는데 꽤 따뜻하게 느껴져서 난로를 켜는 수고를 하지 않아도 되겠다는 생각이 들었습니다. 조금 지나서 우연히 기상 예보를 들었는데 바깥 온도는 여전히 영하였습니다!! 아마 1월에 혹독하게 추웠기 때문이었던 것 같습니다. 한때 영하 17도까지 내려간 적이 있어도 햇빛이 비치고 있었기 때문에 지나치게 어렵게 느껴지지 않았습니다. 그러나 지금은 날씨가 따뜻해지고 있습니다. 아마도 두어 주 이런 날씨이다가 봄이 될 것 같습니다. 그래서 제가 그 느낌을 잊어버리기 전에 서둘러서 여러분께 이곳의 가을과 겨울에 대해서 말씀 드리는 것이 좋겠습니다.

가을 9월~11월

가을에 가장 주목할 만한 사건은 권 자매와 내가 김치를 담근 일이었습니다. 절인 배추는 한국인이 먹는 주된 음식 중 하나입니다. 여름에는 그것들이 빨리 시어지기 때문에 매일 만들어 먹어야 하지만, 겨울에는 신선한 야채들이 많지 않고 비싸기 때문에 모두가 겨우내 지속해서 먹을 수 있도록 커다란 독에 가득 담급니다.

시장에 배추와 무가 마치 산처럼 더미로 쌓여있었는데, 주부들이 그것들을 사러 올 때마다 매일같이 사라졌습니다. 우리가 시장에서 채소로 가득 찬 큰 부대를 끌고 집으로 가는 모습을 여러분이 봤어야 했습니다. 권 자매는 다른 한 손으로 무 다발도 들고 갔지만, 나는 아직 그런 역량까지는 계발하지 못했습니다. 그 이상의 짐을 들고 가는 것은 불가능한 일이었기 때문에 우리는 아직 사지 못한 배추를 사러 다시 시장에 와야 한다고 생각했습니다.

그런데 집에 오는 길에 우리는 길에서 배추를 팔고 있는 아저씨를 만났습니다. 그 아저씨는 자기 수레로 배추를 언덕까지 옮겨다 준다고 하였습니다. 우리는 다른 채소도 전부 그 수레에 싣고 뒤에서 밀었습니다. 그때 제게 카메라가 있었다면 얼마나 좋았을까요! 우리는 배추를 열 포기밖에 사지 않았습니다. (배추는 서양의 양배추 하나를 다른 양배추에 얹어 놓았을 때와 같은 크기임) 그러나 어떤 가정은 100포기 단위로 김치를 만듭니다.

내가 이런 일들을 해본 적이 없기 때문에 불쌍한 권 자매는 일을 대부분 혼자 해야 했습니다. 하지만 저도 생강과 마늘 껍질을 까서 찧는 작업은 조금 도왔습니다.

우리는 야채를 씻기 위해 엄청난 양의 물을 사용했고, 배추와 무는 밤새 소금물에 절여 놓았습니다. 우리 세면실에는 사람이 설 수 있는 공간이 거의 없었습니다. 다음날 우리는 생강과 마늘을 설탕, 소금, 고춧가루, 젓갈 그리고 잘게 썬 파와 다른 야채들과 함께 버무렸습니다.

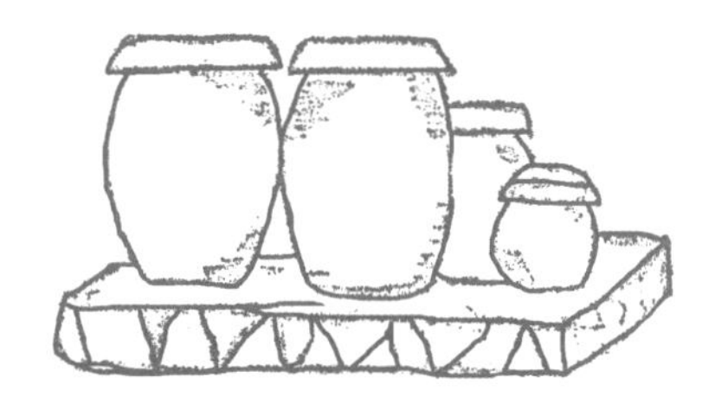

그 후 권 자매는 배추 잎들(4등

분 한 것) 사이에 양념들을 넣고 각각의 배추통을 깔끔한 한 묶음으로 만 다음에 가장자리 잎으로 감아 쌌습니다. 이러한 김치들을 전부 큰 항아리 독에 넣어 아파트 밖에 묻었습니다.

원칙적으로 김치 항아리는 자기 마당에 독의 뚜껑이 보일 정도의 높이로 묻어야 합니다. 그래야 김치가 얼지 않고 냉장 보관이 됩니다. 그러나 3층에 살기 때문에 식사 때마다 김치를 가져오러 내려갔다 올라갔다 해야 해서 우리는 그것을 좋아하지 않았지요. 한국인들은 김치를 밥, 국 그리고 다른 반찬들과 함께 하루 세 번 끼니 때마다 먹습니다. 나는 김치를 저녁식사 때는 즐겨 먹지만, 아침은 뮤즐리(곡식, 견과류, 말린 과일 등을 섞은 것으로 우유에 타 먹는 것)를 선호합니다.(뮤즐리라는 이름을 붙이기에는 어려울 만큼 나는 다양하게 만들어서 먹습니다.) 그 이유는 제가 너무 게을러서 어학원에 가기 전에 조리하고 설거지하지 못하기 때문입니다.

겨울 12월 ~2월:

풍경 크리스마스 전 주말에 꽤 많은 눈이 내려서 아름다운 하얀 도시가 되었습니다. 아래층의 어린 소녀가 눈사람을 어떻게 만드는지 나에게 가르쳐 주었지만 불행히도 눈이 너무 건조하고 부드러웠습니다.

눈이 오고 있는데 길가에 앉아서 그릇이나 가방을 파는 사람들이 있었습니다.

한강은 대단히 넓은 강인데 전부 얼어서 가운데 약 10여m만 물이 흐르고 있습니다. 사람들은 얼음판이 된 강 전역에서 스케이트를 탑니다.

한 배달 소년이 성탄 케이크 상자 약 50여 개를 자기 자전거 뒤에 쌓아 묶어서 차들이 많이 다니는 복잡한 시내의 커브 길을 돌아서 갑니다. (여기

눈덮인 장독대

에서 자전거로 운반되는 다른 물건 중에는 수백 개의 계란도 있고 커다란 유리판 묶음도 있습니다.) 도처에서 긴 속옷을 팔고 있습니다. 거의 모든 색깔과(가장 인기있는 색은 빨강색) 사이즈가 다 있습니다. (그래도 장신의 서양 여인들은 다리 길이가 충분한 것을 한참 동안 찾아야 합니다!)

도로는 완전히 얼음으로 덮여 있습니다. 나뭇가지의 나뭇잎이 거의 없어, 산등성이가 회색과 갈색으로 이루어져 있습니다. 녹색이 한 점도 보이지 않아도 회색과 갈색은 그 나름의 아름다움이 있습니다.

크리스마스

성탄절 주간은 매우 추웠습니다. 그래서 화이트 크리스마스라고 할 수 있을 만큼 아직 충분히 눈이 남아 있었습니다. 나는 크리스마스 휴일 내내 서울에 있었습니다. 크리스마스 날 나는 권 자매와 교회에 다녀와서 우리

임진각에서 미스 김과 함께

친구인 미세스 최 집에 놀러 갔습니다. (우리 아파트에 살던 분인데, 이번 달에 다시 돌아올 예정입니다.)

우리는 그 가족들과 음식점에 가서 성탄절 점심을 먹었습니다. 그래서 여러분이 크리스마스 날에 햄과 치킨을 먹는 동안, 저는 불고기(식탁 위에서 활활 타는 석탄 불에 구워 먹는 얇은 고기)를 먹은 것이지요.

한국의 성탄절은 비록 공식적으로 정해져 있는 휴일이지만, 가족이 모이는 날은 아닙니다. (큰 백화점을 포함한 도시의 많은 가게 문들은 여전히 열려 있었습니다.)

여기에서는 새해와 음력 설이 큰 가족 행사입니다. 대부분의 사람들은 3일 정도 되는 휴일을 본가가 있는 시골로 내려가 부모님과 친척들을 문안합니다. 또한 많은 이들이 장남의 집에 모여 조상들에게 음식을 차려놓고 차례를 지냅니다.

크리스마스 주요 사건들 내가 받은 모든 카드와 편지, 정말로 감사합니다!

크리스마스 날, 예배 겸 파티를 열어서 토요 성경공부반 아가씨들과 그들이 데려온 친구들과 함께 아름다운 시간을 보냈습니다. 촛불을 켜고 캐롤을 불렀는데 밖에는 눈이 내리고 있었습니다. 화요 성경공부 자매들과도 모여서 성탄 축하를 했는데 나에게 한복(한국의 전통 의상)을 선물로 주었습니다. 한복은 앞부분을 묶는 짧은 자켓과 팔 아래로부터 시작해서 발목까지 길이에, 허리부분이 없이 몸을 감싸는 치마로 이루어져 있습니다. 내가 받은 한복은 파란 하늘색 비단으로 만들어진 것으로 아름답습니다! (남자 한복은 자켓과 발목 부분을 묶는 자루 같은 바지로 이루어져 있습니다. 여러분에게 그림을 그려드리는 시도는 하지 않겠습니다!)

서울의 2월

2월 4일 봄의 첫 출근일, 이날 눈이 펑펑 쏟아졌습니다!

2월 1일 음력 새해의 첫 보름달이 뜨는 날, 이날 밤 한국 사람들은 보통 흰밥 대신 5가지 종류의 잡곡밥을 먹습니다. 또한 이날 밤에 사람들은 새해 소원을 달에게 빌기 위해 산 정상에 올라갑니다. 시골에서는 여전히 이러는 사람들이 있습니다.

2월 21일 우리가 오는 8월에 열려고 하는 성서 유니온 여고생 캠프의 준비로 리더 훈련 프로그램이 있는 날입니다. 훈련 모임은 2월 13일

연희아파트 화요 성경공부반

부터 격주로 하고 있습니다. 우리의 생각이 분명하게 전달될 수 있도록 또한 다른 리더들의 생각도 잘 이해할 수 있도록 기도해 주세요. 우리의 서구적 생각들이 한국 상황에 잘 맞아야 합니다. 대프니 로버츠가 훈련 프로그램의 책임자입니다. 권 자매와 저는 캠프를 책임 맡게 될 것입니다. 또한 캠프 장소에 대해서도 기도해 주세요. 아직 마땅한 장소를 찾지 못했습니다.

세실리와 대프니

2월 24일 호주 대사 부인이 초대해 주어 오후에 대프니와 베스와 같이 가서 차를 마셨습니다. 다른 호주 사람들을 만나니 참 좋았습니다.

2월 27일 ~ 3월 1일 마산에서 OMF 컨퍼런스가 있었습니다. 일정이 꽤 분주했습니다. 어학원 과정을 다 마치고 캠프가 끝나고 나서, 저는 부산으로 가기로 결정이 되었습니다. 아마도 9월쯤 갈 것 같습니다. 권 자매도 부산으로 가게 될지는 아직 잘 모르겠습니다.

2월 28일 지난 8월 캠프에 갔던 여고생 3명을 만났습니다. 매우 즐거웠지만 더 많은 학생들이 오지 않아 실망스러웠습니다.

6월 말, 어학원 2년 과정이 전부 끝난다는 사실이 믿기 힘듭니다. 물론 이것이 언어 공부의 끝은 아니지만 말입니다. 어학 실력이 뒷걸음치고 있는 것처럼 느낄 때도 있기는 하지만 저는 여전히 공부가 즐겁습니다. 학교에서 보내는 이 마지막 시간들을 제가 최대한 유용하게 쓸 수 있게 해달라고 기도해 주시면 감사하겠습니다. 또한 한국어로 성경공부를 인도하는 일에 진보가 있도록 기도해주세요. 이는 어학원 공부에 포함된 것이 아니어서, 어디서부터 시작할지 그리고 어떻게 공부 시간을 더 빼내어야 할지 알기가 어렵네요. 어학원의 안전지대를 떠날 것을 생각하니 조금 두렵습니다. 나는 부산에서 무엇을 하게 될지 아직 모릅니다. 그렇지만 동시에 이것은 도전이지요. 에베소서 3장 20절의 말씀이 증명되는 놀랍고 새로운 기회가 되겠지요. 하나님은 우리 가운데서 역사하시는 능력대로 우리가 구하거나 생각하는 모든 것에 더 넘치도록 능히 하시는 분이시지요. 1976년 당신의 삶 속에서도 이 말씀이 진실인 것을 발견하시기를 빕니다.

안녕히…, 세실리.

1976년 마산 필드 컨퍼런스

1976년 8월

오랫동안 편지를 드리지 못해서 대단히 죄송합니다. 여기에는 봄이 되어 날씨가 따뜻해지면 마음이 싱숭생숭하여 전혀 일이 손에 잡히지 않는다는 말이 있습니다! 아마도 봄과 여름 날씨 때문에 제 타자기가 잘 작동되지 않았는지 모르겠습니다. 심지어 내가 그렇게 기쁘게 받아 읽었던 편지들 답장도 하지 못했으니까요. 여러분 모두에게 정말 감사합니다. 마땅히 해야 할 답신을 앞으로는 꼭 제때에 드리겠다고 약속 드립니다.

봄과 여름

또 눈부신 봄이 와서 즐거웠습니다. 개나리, 복숭아꽃, 백합, 목련 그리고 어디에나 풍성한 장미들 –그 꽃들이 2, 3주간 밖에 피어있지 않아서 유감입니다. 봄이 오면 보통 봄맞이 청소, 페인트 다시 칠하기, 이사와 결혼을 많이 합니다. 나는 3주 연속 토요일 결혼식에 갔습니다.

이제 여기는 여름입니다. 온도는 퀸즐랜드만큼 높지 않지만 습기가 많아 때때로 땀이 줄줄 흐릅니다. 여름이 오면 과일 시즌이 시작됩니다. 토마토(한국인에게는 과일), 딸기, 자두, 복숭아, 수박, 참외 –지금 포도는 막 나오기 시작했고 곧 크고 둥근 중국산 배와 감이 곧 제철을 맞을 것입니다.

어학원 여행

6월 우리는 정부의 지원을 받아 한국의 산업 발전과 관광지를 둘러보는 여행을 갈 수 있었습니다. 우리가 했던 일들을 간략하게 말씀 드릴게요.

16일 수요일 한국에 관한 영상 관람 –한국식 점심을 먹은 후, 유성까지 갔는데, 도중에 자동차 공장을 방문했습니다. 그날 밤 매우 가까이서 벼 심는 것을 관찰할 수 있었습니다. 작은 논(길이가 20~30m 정도)의 양쪽 끝에서 남자 두 명이 줄을 잡고 있어주면 모 심는 사람들이 그 줄에 맞추어 반듯하게 모를 심습니다. 한 줄에 다 심고 나면 그들은 그 줄을 30cm 정도 옮겨 다음 줄을 만듭니다. 모 심는 사람들은 진흙탕에 깊게 무릎을 담그고 서서 줄을 따라서 모종을 될 수 있는 대로 촘촘하게 진흙 안으로 찔러 넣습니다. 허리를 휘게 하는 일이지만 그들은 매우 빠른 속도로 일을 합니다. 모내기 등의 일은 공동체 활동으로 이루어지는 일로 보였습니다. 모든 사람이 모두의 논 일을 돕는데 우리가 본 일군들은 대부분 여성들이었습니다.

17일 목요일 새마을 운동 아래 개선이 이루어지는 것을 보려고 농가 마을을 방문했습니다. 이 운동은 특히 농업의 생산성을 증가시키고, 생활수준의 향상을 추구하는 범국가 운동입니다. 계속해서 남해로 가서 16세기 세계 최초의 철갑 함대(한국산)로 일본군에 승리했던 이순신 장군의 묘를 방문했습니다. 어학원 선생님 중 한 분이 향을 피워서 장군의 사진 앞에 있는 제단 앞에 놓더니, 몇 번 절을 했습니다. 그동안 우리는 밖에서 지켜보며 서 있었습니다. 그날 하루 숙박하기 위해 부산으로 돌아왔습니다.

18일 금요일 울산으로 갔는데 그곳은 최근에 개발된 공업 도시입니다. 기름 정제 공장, 화학공장, 그리고 조선소를 방문했습니다. 조선소는 세워진 지 몇 년도 되지 않았는데 벌써 거대한 배들을 만들고 있었습니다. 보통 그들은 주문 받은 배들을 예정보다 빨리 생산해 냅니다.

계속해서 포항의 철강 공장(호주 원자재 철광석을 가공하는 것임)을 방문했습니다. 강괴가 만들어지는 과정을 지켜보는 일은 매우 흥미로웠습니다. 한국이 지난 5~10년간 공업 분야에서 이루어 낸 놀라운 성장을 보고 우리는 이 날 깊은 인상을 받았습니다. 그것은 순전히 투지와 힘든 노력 때문이었습니다. 이곳에는 파업이 없습니다!

어학원 소풍-불국사

대릉원–어학원 경주여행

19일 토요일 경주 방문. 경주는 한때 신라 왕조의 빛나는 수도였습니다(B.C. 57–A.D. 935)–아름답게 장식된 불국사, 산 안의 작은 동굴에 세워놓은 거대한 부처 돌상, 최근에 고대 무덤에서 발굴된 금 왕관을 포함한 많은 고대 유물이 있는 박물관을 방문했습니다. 우리는 발굴된 무덤 안을 걸어볼 수 있었고, 그 안에서 발견된 다른 유물도 보았습니다.

이곳의 무덤은 땅 위에 커다랗게 흙으로 쌓아놓은 무덤이었습니다. 더 중요한 사람일수록 무덤이 더 큽니다. 우리가 보았던 무덤 안으로는 약 50명이 들어갈 수 있었습니다.

대구로 이동하여 점심을 먹었고 귀가했는데 매우 흥미롭고 유익한 여행이었습니다. 매일 밤 서양식 호텔에서 머물렀는데, 여행의 하이라이트 중 하나는 뜨거운 욕조에서 매일 밤 샤워를 할 수 있었다는 것이었습니다!

결혼식

일 년 중 이 때 결혼을 많이 합니다. 여기에는 두 가지 타입의 결혼 방식이 있습니다. '중매 결혼' 또는 '연애 결혼'인데, 그러나 사실 요즈음은 대부분 두 가지가 혼합되어 있습니다. 몇몇 사람이 소개를 주선해주고 (조심스럽게 두 사람의 배경에 대해서 언급하면서) 만약에 그 두 사람이 서로를 좋아한다면, 그들은 결혼하기로 결심합니다. (종종 2~3달 내의 미팅 기간 내에) 결혼 전에 신부는 그들이 사용할 요와 이불 (다양한 두께를 감안하여)을 준비해야 하고, 몇 개의 큰 옷장- 보통 검은색에 진주를 안에 박은 가구(자개농)를 포함해서 다른 살림 도구들도 준비해야 합니다. 신부는 시부모님과 시댁의 모든 가족에게 줄 선물을 전부 준비해야 합니다.

결혼은 보통 결혼식장에서 합니다. 결혼식장은 보통 교회의 내부 장식과 비슷한데 앞에 강단이 있고 주례자가 서는 강대상은 꽃과 촛불로 장식되어 있습니다. 현대식 호텔에서도 결혼식을 많이 하지만 결혼식만을 위해서 두 세 개의 공간을 지니고 있는 건물들이 있습니다.

신부는 보통 흰색 서양식 웨딩 드레스를 빌려 입고, 짙게 화장을 하며 매우 심각하게 식에 임합니다. 신부는 결혼식이 진행되는 동안 웃지 않기로 되어 있습니다. 신랑이 먼저 통로를 활보하며 입장합니다.(보통 박수갈채를 받으며) 신랑 뒤에 이어서 신부가 자기 아버지의 손을 잡고 입장하는데 아버지는 그 손을 신랑에게 넘겨줍니다.

신랑신부 둘이서 앞에서 있으면 누군가 그들 각자에게 연설을 읽어줍니다. 그들은 보통 반지를 교환하는데(그리고 어떤 때는 시계를 주기도 함), 나는 예식 중에 맹세를 하는 경우를 못 본 것 같습니다. 주례(내가 추측하기에는 치안판사처럼 자격 있는 사람)는 부부에게 지혜의 말들을 해주고, 그들은 돌아서서 손님들에게 절을 하고, 식은 끝납니다. 만약에 부부가 크리스찬이면, 그 예식에 아마도 찬송, 기도와 성경읽기도 같이 포함될 것입니다.

하나 잊은 것이 있네요. 식이 시작되기 전, 신부가 대기실에 앉아 있으면 신부의 여자 친구들이 전부 와서 함께 사진을 찍는답니다. 서양 스타일의 결혼식이 끝난 후에 그냥 아는 사람들은 떠나고, 신랑신부는 한국 전통 결혼식 준비를 위해 매우 우아한 한국식 결혼 복장으로 갈아입습니다.

한 결혼식에서 나는 신부(화요일 성경공부에 오는 미스 김)와 같이 가는 친구들 그룹에 끼게 되었는데, 신부가 한국식 예복으로 갈아입기 전에 나에게 부케를 주어 얼마나 기뻤는지 모릅니다.(여기에서도 부케를 받는다는 의미가 서양이나 같아요!)

신부와 가까운 친척과 친구들은 폐백에 참여합니다. 방의 한 가운데에는 작은 테이블이 있고, 거기에는 닭 -옛날에는 살아있는 닭을 천으로 묶어서 올려놓았다고 합니다, 대추, 밤, 과일, 사탕, 떡 그리고 청주(요즘은 과거와는 달리 그렇게 세세히 하지 않는다. -경제를 돕기 위한 하나의 방식)

미스김 결혼식날

먼저 부부가 바닥에 두 번 머리를 깊이 숙여 절을 하는 동안, 신부의 시부모님은 테이블 뒤에 앉아 있습니다. 신부는 시부모님에게 청주와 음식을 드리고, 부부가 바닥에 무릎 꿇고 앉아있는 동안, 시부모님이 신부의 무릎 위에 놓인 하얀 천에 대추를 던져줍니다. 대추의 숫자는 시부모가 신부에게 바라는 아이들의 숫자를 나타냅니다. 정부의 가족 계획 정책 때문에 2개만 던질 것이라고 생각하시겠지만 제가 본 바로는 아마 열 개 가량 던졌습니다! 절을 하고 나면, 남편의 모든 친척들에게 술을 따라줍니다.

이 결혼식이 끝나자마자 신부는 평상시 외출 옷으로 갈아입고(보통 분홍색) 부부는 신혼여행을 떠납니다. 신혼여행은 보통 3~4일 정도입니다. (이는 사무직들이 보통 일 년에 받을 수 있는 휴가 기간임)

그 후 가족과 친구들은 보통 근처 식당에서 밥을 먹습니다. (예약을 하지 않습니다.) 부자들은 호텔에 예약하여 결혼식 식사를 하기도 합니다. 김 자매의 어머니는 집에서 근사한 만찬을 준비하셨습니다. 나도 그 곳에 초대되었는데, 거기에는 폐백에 가지 못했던 친구들과 친척들이 벌써부터 와서 즐겁게 시간을 보내고 있었습니다.

선물로 받은 한복 – 어학원 졸업식날

한국인들은 정말 잔치상을 근사하게 차립니다. 밥과 국, 국수, 많은 흥미로운 고기와 채소 그리고 반찬(김치를 포함한), 떡 그리고 견과류와 수정과(묽게 만든 시럽 안에 말린 감을 넣은 디저트)가 있었습니다. 만약에 내가 한국 결혼식을 하는 기회가 있게 된다면, 나는 반드시 여러분 모두를 초대할 것입니다!

과거, 현재 그리고 미래

6월 말 어학원을 졸업한 이래, 나는 주로 성서 유니온에서 사역을 도우며 시간을 보내고 있습니다. 성경공부반을 계속하고 손님들을 많이 맞는데 어떤 때는 오전 7시 반에서 저녁 8시 반까지 손님들이 있었습니다.

8월말 경부터 9월 중반까지 나는 휴가를 가질 것입니다.(강릉과 거제 섬으로) 그 후 서울로 돌아가 짐을 쌀 것인데, 아마 부산으로 이사는 10월이 될 것 같습니다. 10월 중순부터 아마도 사용하기에 가장 좋은 주소는 c/-P.O. Box 20, Masan, 610, Korea 입니다. 부산에서 알맞은 시기에 적절한 집 또는 아파트를 구할 수 있도록 그리고 이사에 수반된 모든 일들과 새로운 장소에서의 정착을 위해 기도해 주시면 감사하겠습니다. 이것을 부치러 나가야겠어요. 안 그러면 여러분이 제 편지를 받지 못하실지도 모르겠어요.

그럼 안녕히…, 세실리.

1976년 11월

부산의 '전망 좋은 우리 방'에서 소식을 드립니다. 적절한 시기에 적절한 아파트(정말 적정한 가격으로!)를 구할 수 있었습니다. 기도 응답에 감사드립니다. 10월 2일 권 자매와 나는 부산 항구가 내다보이는 언덕 위에 5층짜리 아파트로 이사를 갔습니다. 정말 멋있는 경치입니다! 특히 야경이!

언덕을 올라갈만한 가치가 있습니다! 피터와 오드리 패티슨 덕택에 이사가 매우 쉬웠습니다. 그들은 우리 짐들을 대부분 병원 차에 실어 날라주

전망 좋은 우리집–부산

었습니다. 가구는 대부분 서울에 있는 OMF 부부에게 주고 나머지 물건들은 우리가 버스를 타고 오면서 가져왔습니다. 며칠 간, 우리는 가스 없이 전기 후라이팬으로 살았습니다. 매우 효율적이지만 커피에서는 항상 국수나 또는 그 전에 먹었던 음식 맛이 났습니다.

가구를 보기 위해 중고 가게에서 약간의 시간을 보냈습니다. 우리 책상은 매우 싼 것이었는데 우리가 니스칠을 해서 새 것처럼 보입니다. 매우 뿌듯했지요.

부산에는 외국인들이 많이 살고 있지 않습니다. 이 지역에서는 내가 처음인 것 같습니다. 서울에서보다 훨씬 더합니다. 사람들은 저를 빤히 쳐다보았고, 제 키, 노란 머리색, 또는 높은 코 등에 대해서 수근대었으며, 나를 향하여 '미국 사람'이라고 소리치기도 했습니다. 그렇게 하면 저는 대답을 해야 할지 가만히 있어야 할지 알 수가 없었습니다. 그런데 그들이 내가 못 알아듣는 줄 생각하고 있을 때 대답을 하면 아주 재미있기도 합니다. 틀림없이 시간이 지나면 언젠가는 서로에게 익숙해지겠지요. 우리 아파트 사람들은 친절했습니다. 특히 4층에 사는 한 부인은 우리를 많이 도와주었습니다. 하루는 그 분이 시장에 다녀오는 동안, 나는 그의 세 자녀들을 3시간 동안 돌보아 주었습니다. 즐거운 시간이었지만 좀 피곤했습니다!

아파트 이웃들과 함께 (민정엄마)

초원 아파트의 어린 친구들-민영, 민정, 민진

나의 부산 생활은 대강 이렇게 시작되고 있습니다.

월요일, 화요일 마산 닥터 패티슨 댁에서 OMF 비서 일을 하고, 딕터폰(속기용 구술 녹음기-역주-)을 사용하는 법을 배웠습니다. 미세스 리로부터 언어 수업을 받습니다. 1시간 반 정도 버스를 타고 다니는 일이 매우 즐거웠는데, 시골 경치가 보통 때보다 더 아름다울 때는 더욱 즐거웠습니다.

아직 곡식이 익지 않은 노란색 논밭의 들판, 수확기에 이른 황금 들판(보통 손으로 직접 추수함.) 그리고 추수하고 난 뒤의 갈색 들판, 그것에 더하여 초록빛 채소밭들도 있었습니다. 길을 따라 피어있는 분홍색과 하얀색의 코스모스는 눈부시게 아름다웠고 지금 단풍 색깔이 나타나기 시작했습니다. 날씨는 대부분 맑고 화창했습니다. 가을은 정말로 이곳에서 내가 가장 좋아하는 계절입니다.

수요일 휴무 외에는 화, 목, 금, 토요일 매 몇 시간씩 어학 공부를 하려고 합니다.

그리고 권 자매와 같이 성서 유니온 일을 하는데 다음과 같습니다.

목요일 또는 금요일 이사벨 여고에서 점심시간 성경 모임

금요일 오후 8시, 복음 병원에서 간호사들과 성경공부.

금요일 오후 6시, YWCA 성경공부.

토요일 오후 7시, 매달 교회 대학부와 같이 성경공부.

우리는 또한 성서유니온의 방법과 내용(매일 성경으로 하는 개인 큐티; 역주)을 홍보하기 위해서 한 달에 교회를 약 10군데 방문하기도 했습니다. 여기에는 아직 널리 알려져 있지 않습니다. 우리는 둘 다 이런 종류의 일이 처음이었습니다.

일요일 내가 속해 있는 교회(삼일 장로교회)에서 예배를 드리고, 다른 교회에 가서 성서 유니온을 홍보하거나 또는 성경공부를 인도합니다. 10월 24일 일요일 나는 11시 예배 때 삼일교회 성도들께 인사를 했습니다. 한국어로 약 7~8분이 걸리는 인사였지만 집에서 연습하는 시간이 꽤 오래 걸렸습니다. 영어로라도 700~800명의 회중 앞에서 말을 하는 것이 내게는 쉬운 일이 아닙니다!

크리스마스 편지를 쓰기는 너무 이른 것 같습니다. 그렇지만 여러분들께 시간 안에 도착하기에는 이미 늦었는지도 모르겠습니다. 미안합니다.

성탄절은 한국에서는 공휴일이지만 우리 성경공부 반에 있는 사람들 중에서도 우리가 왜 크리스마스를 축하하는지 이유를 알지 못하는 사람들이 있는 것 같습니다.

성령께서 우리에게 힘을 주셔서, 그들의 눈이 뜨이도록 기도해주세요. 그래서 사람들이 몇 명이라도 난생 처음, 크리스마스를 진심으로 축하하며, 그들의 삶 가운데 예수님이 임하시는 기쁨을 알도록 기도해 주세요. 그 예수님은 "예수-자기 백성들을 그 죄에서 구해 주시는 분", "임마누엘-하나님이 우리와 함께하시는 분(마태복음 1:21, 23)"이십니다.

진정으로 기쁜 크리스마스가 되시기를 빌며,

세실리….

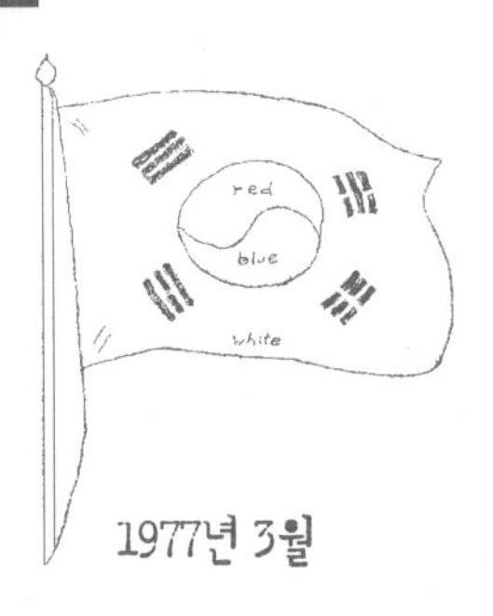

1977년 3월

한국에 봄이 왔습니다. 구근에 싹이 나기 시작했고, 얼었던 파이프가 녹았습니다. 그리고 터졌어요! 개나리와 목련도 피었어요. 며칠 동안 바깥 햇볕 아래 앉아 있으면 충분히 따뜻했는데, 부산과 마산은 현재 특히 봄바람이 강해서 봄이라기보다는 오히려 겨울인 것 같습니다.

제가 아직 부산에 대해서는 많이 소개하지 않은 것 같습니다. 부산은 서울로부터 대략 460km 정도 거리인데, 철도와 현대적인 4차선 고속도로로 연결되어 있습니다.(버스로 5.5시간 걸림) 도시의 인구는 170만 명으로 한국에서 두 번째로 큰 도시입니다. 인구 750만인 서울과 비교하면 때때로 이곳이 시골처럼 보이기도 합니다.

사람들은 대체적으로 서울 사람들보다 더 우호적인데, 아마도 그들이 더 느린 속도로 살기 때문인 것 같습니다. 또한 버스도 보통 서울만큼 복잡하지 않습니다. 한 번의 예외가 있었는데…

미니버스 86번 우리에게 가장 편리한 버스입니다! 출퇴근 시간대에 그 버스를 타는 일은 특별한 경험입니다. 특히, 나처럼 키가 큰 사람은 똑바로 설 수가 없어서 어떻게든 무릎과 목을 구부려야 합니다. 다행히 시내에서 우리 집까지는 약 15분밖에 걸리지 않습니다. 그렇지만 가파른 굴곡이 있고 곁에 커다란 내리막이 있는 좁은 산복도로로 가기 때문에 여행은 재미가 있습니다.

더 흥미로운 일은 보통 운전수들이 버스가 갈 수 있는 시간대보다 더 빨리 가서 기록을 세우고 싶은 듯이 운전합니다. 그렇지만, 피크 시간대에 군중들은 너무 가까이 눌려 있어서 차가 갑자기 덜컹거리거나 방향을 바꾸는 경우에라도 보통 서 있을 수 있습니다. 그리고 또 하나의 장점은 여러분이 바깥을 볼 수 없기 때문에 버스가 길의 가장자리에 얼마나 가까이 서 있는지를 알 수 없다는 점입니다. 나는 버스 운전사의 운전 기술을 대단히 숭배하고 있지만 버스 정류장에 무사히 도착하면 보통 안도의 한숨이 내쉬어집니다. 안전하게 도착하면 우리는 진심으로 감사를 드립니다.

다시 부산 소개입니다. 부산이 유명한 것은 이곳이 한국의 주된 항구이기 때문입니다. 대학교가 두 군데 있고 유명한 절이 있으며 큰 공원도 두 곳 있고, 130m 높이의 관광 전망대, 큰 수산 시장, 그리고 유명한 해수욕장이 있습니다. 그 해수욕장은 공식적인 여름(7/8월) 6주간 정도 사람들로 빽빽하게 들어찹니다. 우리 집에서 보이는 항구 풍경은 아마 여러분이 상상하듯 매력적이고 나무들이 줄지어 선 항구는 아닙니다. 그러나 예인선이 일하는 모습을 보는 것도 대단히 흥미롭고, 특히 밤에는 불빛들이 매우 아름답습니다.

그런데, 우리는 지금 보고 있는 풍경을 보지 못하게 될 지도 모르겠습니다. 왜냐하면 집주인이 이 아파트를 자기가 살고 있는 곳보다 더 좋아해서 자기가 살고 있는 집을 팔 수 있으면 이곳으로 이사를 오고 싶어합니다. 나는 다시 이사한다는 생각을 좋아하지는 않지만 아마도 우리를 위해 더 좋은 곳이 예비되어 있을 수도 있겠지요.

닥터 패티슨이 일하던 결핵 진료소

저는 이 편지를 부산에서 서쪽으로 60km 정도 떨어진 마산에서 쓰고 있습니다. 피터와 오드리 패티슨(OMF 선교사들)은 결핵 요양원이 있는 마산에서 조금 떨어진 바닷가 쪽의 작은 마을에서 살고 있습니다. 피터는 골관절 결핵을 위한 치료와 연구에 관여하고 있는 의사입니다. 결핵은 여전히 한국에서 널리 퍼져 있는 병입니다. 피터는 또한 한국 OMF 지부 책임자입니다. 나는 보통 월요일과 화요일 또는 수요일과 목요일 OMF 비서 일을 하기 위해 이곳에 옵니다.

내가 2월 중순에 왔을 때, 몸 상태가 좋지 않더니 며칠 뒤 얼굴이 노랗게 변하기 시작했습니다. 간염에 걸린 것이었습니다. 아주 심한 것이 아니어서 매우 감사했고 내가 여기 마산에 있었기 때문에 감사했습니다. 오드리(간호사)와 피터는 나를 극진히 돌보아주었습니다. 전용 간호사와 의사, 편안한 침대, 좋은 책들 (첫째 주에 에니드 블리튼의 책만 읽었습니다), 좋은 음식

(다시 음식을 쳐다볼 수 있게 되었을 때!) 그리고 산과 수많은 흙 두둑이 보이는 방이 있는데 그 이상으로 무엇을 더 요구할 수 있었겠어요? 두더쥐가 만들어 놓은 흙 두둑이 잔디 위에 불쑥 나와 있는 것은 내 생전 처음 보는 것이었습니다. 불행히도 두더쥐는 보지 못했습니다.

나를 찾아온 사람들이 있었습니다. 권 자매가 두 번 왔다 갔는데, 처음에는 YMCA의 비지니스 여성 성경공부 그룹에서 한 명과 함께 왔고, 두 번째는 그 그룹 4명이 함께 왔습니다.

나는 그들의 방문이 반가웠지만 좀 지쳤습니다. 그래서 내가 이곳에 있는 것이 두 배로 기뻤습니다. 만약에 내가 부산에 있었다면, 아마도 매일 방문객들이 있었을 겁니다.

예상치 못했던 반가운 방문이 또 있었습니다. 같은 아파트에 살던 미세스 최였습니다. 우리는 좋은 친구가 되었습니다. 내가 서울에 두 번 갔는데 그때마다 그 집에서 잤습니다. 그녀는 아주 성격이 좋습니다. 어느날 오후 1시, 친구에게서 내가 간염에 걸렸다는 소식을 듣고 바로 자기 남편에게 전화했습니다. 남편의 동의 하에 어린 딸을 할머니 집에 맡기고, 패티슨 가족과 나를 위해서 선물을 들고 마산으로 오는 5시 기차를 탔습니다. 그녀는 11시에 도착해서 그날 밤을 여관에서 묵었습니다. 그리고 다음 날 아침 택시를 타고 7시 30분에 문 앞에

요양 중 부산에서 찾아온 방문객

도착했습니다. 그녀는 아침 식사를 함께 했고, 10시 30분 정도까지 이야기를 나누다가 부산으로 떠났습니다. 밤기차로 서울로 가기 전에 부산에서 권 자매와 다른 친구들을 방문하려는 것이었습니다. 정말로 한국인들은 너그러운 사람들입니다. 나를 매우 겸손하게 만들어 주었습니다. (나라면 친구를 위해서 그렇게 했을까?) 그리고 이곳에서 나에게 좋은 친구들을 허락해주셔서 감사한 마음이었습니다.

나는 지금 많이 회복되었고 여러분이 이 편지를 받기 전에 부산으로 돌아갈 것입니다. 실제적으로 큰 악영향은 없는 것처럼 보였습니다. 나는 커피 맛을 잃어버렸습니다.(하지만 틀림없이 언젠가 미각을 되찾게 되겠지요.) 그리고 나는 흰머리가 많아졌습니다. (제 때 없어지지 않을 것 같아 두렵습니다.) 제가 너무 서두르지 않아야겠다는 생각이 듭니다. 아파트에서 가장 가까운 운송수단 (미니버스 86)은 4층에서 계단으로 내려와서 6층으로 가는 것입니다. 지난 12월 나는 계단에서 발목을 삐게 되어, 일주일 동안 계속 집에 있었습니다. 그것은 정말 편리한 일이었습니다. 만약 그렇지 않았다면 나는 크리스마스 편지를 전부 끝내지 못했을 것입니다.

크리스마스를 보냈던 일이 먼 옛날 일 같습니다. 크리스마스 전 주에 우리 아파트에서 6번의 미팅과 파티를 가졌습니다. (이제는 스폰지 케이크와 팬케이크는 눈 감고도 만들 수 있을 것 같습니다!) 그리고 1975년 마산의 캠프에 참석했던 3명의 여고생이 우리에게 와서 크리스마스 주말을 같이 보내게 되어 매우 감격스러웠습니다.

한국 사람들은 크리스마스 선물을 양말 안에 넣어주는 관습에 대해 모릅니다. 그래서 우리는 미리 작은 선물들(사탕, 볼펜, 공책 등)을 많이 준비해서 포장한 뒤 긴 양말 안에 넣었습니다. 소녀들은 크리스마스 아침에 그 양말 안에 무엇이 들었는지를 살펴보면서 많이 웃었습니다. 크리스마스 다음날 저녁에는 마산으로 가서 크리스마스 만찬을 먹었습니다. (제대로 된 영국식 식사 -익힌 닭, 건포도 넣은 푸딩 그리고 과일 민스 파이 -맛있습니다.) 우리는 휴일 기간 동안 다른 성경공부의 소녀들과 함께 작은 하우스 파티를 가지고 싶었지만(크리스마스 주와는 다르게 별도로) 결국 딱 한 번밖에 하지 못했습니다.

날씨가 추워져서 바닥이 적절하게 데워지지가 않네요. 우리에게 히터가 두 개 있어서 충분한데도, 집 전체가 따뜻해지지 않아 힘이 들었습니다.

그러나, 장래에 유사한 모험을 계획할 때 도움이 될 만한 많은 지식들을 배웠습니다. 그리고 내 생각에 방문했던 소녀들은 매우 즐거워했던 것 같습니다.

부산 성경공부 그룹 중 하나

올해 부산에서의 프로그램은 크리스마스 편지에 대략 쓴 것과 비슷할 것입니다. 성경공부 요청이 더 있어서 받아들이고 싶은데 시간이 없는 것이 문제네요.

4월부터 권 자매는 성서 유니온에서 정직원으로 일할 것 같습니다. 그리고 우리는 더 규모가 큰 프로그램을 다룰 수 있게 되기를 바라고 있습니다. 우리가 대응할 수 있는 것 이상으로 많은 요청들이 있습니다.

권 자매를 위해 기도해주세요. 어떤 요청들을 우리가 받아들여야 하는지 분별할 지혜가 필요합니다. 권 자매는 무거운 책임을 지고 있는데 나는 아직까지 한국어 능력이 부족해서 일의 반도 나누어 하지 못하고 있기 때문이지요.

우리는 매일 금요일 밤에 만나는 YWCA의 비지니스 여성 성경공부 그룹 모임 때문에 힘이 납니다. 특히 두 명의 소녀가 그리스도인이 되는 것에 대해 많이 질문하고 있는데 부모의 반대에 부딪치고 있습니다. 계속해서 우리를 위해서 기도해주세요, 성경공부 모임들과 교회를 방문하여 성서 유니온 성경 읽기 방법과 자료를 소개하는 일을 위해서 계속해서 기도해주세요. 또한 저는 언어 공부를 더 하려고 하지만, 어학원을 떠난 이래로 공부 시간을 갖기가 어려운 것 같습니다. 아마도 시간 경영을 잘 못하는 것이 더욱더 문제이겠지요! 7/8월 여름 휴가 동안 두세 번 캠프를 하고 싶습니다. 리더들이 필요하고, 리더십 훈련 프로그램 그리고 캠프 장소가 필요합니다. 캠프에 참가할 사람들뿐만 아니라 가능하다면 리더 훈련 캠프와 중학교 캠프도 각각 한 번씩 하고 싶어요.

제게 아름다운 크리스마스 카드와 편지를 보내주셔서 정말 감사드립니다. 여러분들의 편지를 받고 모든 소식들을 알게 되어 너무 기쁩니다. 더욱더 빠른 답신을 위해서 나는 여러분들 몇 분에게 이 뉴스레터와 함께 짧은 편지들을 동봉하려고 합니다.

이번에 이와 같은 방식으로 하는 것을 용서해 주세요. 한국 우표를 받아보지 못하시니까요. 여러분들 모두가 결국 나의 크리스마스 뉴스레터를 받게 되면 좋겠습니다. 이는 약간 문제가 될 수도 있는데, 몇몇 분은 빠른 답신을 받는 것처럼 보이는 반면, 다른 분들은 동시에 보냈지만 답을 아직 못 받은 것처럼 보일 수도 있습니다. 글쎄, 그 짧은 편지들을 빨리 쓰기 시작해야 하겠습니다. 그렇지 않으면 여러분이 그것들을 받아보기도 전에 다음 크리스마스가 될 거예요.

그럼 이만…, 세실리.

이사벨여고 교사 성경공부 그룹

한국 연대기
1977년 9월

지난 뉴스레터를 받은 이래로 너무 오랜 시간이 지나서 궁금하시겠지요. 아마도 만약에 나의 일기에 기록한 것들을 전해드리면, 왜 그런지 이해가 될 것입니다.

4월 15일: 기억할 만한 날 - 금요일 성경공부 오 자매가 우리에게 말해주었는데, 지난 부활절 주말을 지내면서 그리스도인이 되는 것이 어떤 의미인지 정말로 알게 되었다고 하며 자신의 삶을 그리스도께 헌신하겠다고 했습니다. 우리에게 얼마나 격려가 되었는지 모릅니다. 만일 진리를 알기 위해서 진실된 마음으로 성경을 공부하면 예수 그리스도를 개인적으로 알게 될 것이라는 우리 믿음을 증명하는 실례가 된 것이니까요. 다른 사람들도 이렇게 될 수 있도록 우리와 함께 기도해주세요.

4월 28일~5월 1일: 서울에서 한국 OMF 필드 컨퍼런스가 있습니다. 테리, 게이, 엘리자베스 그리고 스티븐 파이가 도착해서 OMF 한국 팀은 지금 10명입니다. 추가로 아이들이 9명 있는데 보통 연령이 1~4살입니다!

5월 9일: 우리 아파트를 비워줘야 했습니다. 적절한 이사 장소를 찾을 수 없어서 우리는 가구 등을 마산으로 옮기고 미세스 조(성서 유니온 위원) 집에 가서 머무르게 되었습니다. 매우 큰 집이었고, 에어컨, 모든 편의 시설, 개인 정원, 차와 수영장까지 갖추어져 있었습니다. 매일 뜨거운 욕조에서 목욕을 할 수 있다는 것이 더할 나위 없는 행복이었지만 우리는 함께 커피를 마시자고 사람들을 초청할 수 없어서 아쉬웠습니다.

5월 24일: 부산에서 배를 타고 일본으로 갔습니다. 피터와 오드리 패티슨이 일본에서 OMF 학교에 다니는 자녀들을 봄방학이 되어 만나러 가는데 같이 갔습니다.

5월 25일: 후쿠오카에 도착하여 시모노세키로 기차를 타고 가서 도쿄까지는 고속열차를 탔습니다. 오사카에서 잠시 머무는데 상상했던 것만큼 유연하거나 빠르지 않았습니다. 내가 처음 한국에 왔을 때가 생각났는데 아무에게 아무 말도 할 수 없었지요. 다행히 기차역 티켓 판매원이 영어를 조금 했습니다. 일본어로 "예"나 "괜찮다"는 "하이"라고 합니다. 나는 이것을 몰랐었는데 티켓을 사고, 표를 파는 남자에게 고맙다고 한 후에, 내

1977년 4월 OMF 필드 컨퍼런스 (서울)

가 걸어 나갔을 때, 그가 나에게 하도 크게 "하이"라고 말해서, 나는 무엇이 잘못되어서 우리를 부르나 하고 뒤돌아보았습니다!

역에서 너무나 잘되어 있는 컴퓨터 시스템을 보고 놀랐습니다. 당신이 원하는 것을 말하면, 표 파는 사람이 버튼을 몇 개 밀고 당기고, 작은 레버를 당깁니다. 그렇게 하니까 글쎄, 빨간 전구들이 빛을 내며 원하는 대답을 해주는 겁니다. 심지어 우동까지도 자동판매기의 숫자를 누르면 나옵니다.

5월 25일~26일: 삿포로로 가는 기차를 탔습니다. 수학여행을 하는 학생들로 북적였습니다. 모두가 영어를 연습하고 싶어서 난리였습니다. OMF 사무실을 관찰하며(한국에서 내가 하는 OMF 비서일에 도움이 되고 싶어서) 한 주 동안 호주 친구와 함께 머물렀습니다. 선교사들을 많이 방문했고, 쇼핑도 조금 했습니다. 호화스러운 백화점들과 슈퍼마켓에서 당신은 거의 모든 물건을 살 수 있습니다.(상당한 가격으로!) 치즈, 고기, 바나나와 같은 몇 가지 식품은 한국보다 더 쌌지만 과일과 채소는 전체적으로 비쌌습니다.

삿포로는 아름답고 깨끗한 도시입니다. 매우 널찍하게 퍼져 있지요. 교외는 한국의 도시와 비교하면 거의 시골에 가깝습니다.(비록 도쿄는 다르지만) 큰 아파트 건물이 없습니다. 한국의 아파트와 유사하지만 온돌이 아니고 다다미를 깔아놓아 모든 것이 더 신식으로 보였습니다. 일본은 노동력이 굉장히 비싸기 때문에 한국처럼(아이들 양육이나, 집안 일들을) 도우미의 도움을 받는 집은 매우 소수입니다. 삿포로에서는 모두 자전거를 탑니다. 빛나는 새 자전거에 앞치마를 입은 채, 앞 좌석에 아이를 앉히고 수퍼마켓으로 가는 주부들의 모습을 모두 사진으로 찍어 놓았더라면 참 좋을 뻔 했습니다.

또한 며칠 동안 캐나다 친구와 함께 지냈습니다.(우리는 같은 시기에 싱가포르에 있었습니다.) 그들은 매주 일요일 자기들 집에서 8명이 교회 모임을 가집니다. 한국에서만큼 큰 규모의 교회는 아닙니다. 그렇지만 반면에 일본에서 교회을 다니는 사람들은 거의 모두 자기들의 삶을 변화시키는 예수 그리스도와 개인적으로 깊은 관계를 맺고 있습니다. 불행하게도 한국 교회는 그런 모습이라고 말할 수 없는데, 호주나 뉴질랜드의 교회와 매우 비슷하지요.

6월 11일~25일: 도야 호수 옆에서 선교사 친구들과 같이 머물렀습니다. 정말 아름다웠습니다. 이곳은 내가 보기에 일본에서 유일하게 한국의 풍경과 비교될 수 있다고 느껴지는 곳이었지요. (편견일지 모르겠지만!) 수영하기에는 너무 추웠습니다. 작은 화산을 올라갔습니다. 하루 종일 시간이 걸릴 것으로 생각하고 점심을 싸 들고 오전 7시에 버스로 출발했는데, 갈 수 있는 곳까지 멀리 갔지만 아침 9시에 도착했답니다! 왜냐하면, 인접한 산이 폭발하면서 그 지역에 잿가루가 쏟아져서, 도야 도시는 피해야 한다는 것이었습니다.

책을 읽고 편지 쓰는 일 등도 했지만 제일 뿌듯했던 일은 시드니 항구 다리의 조각 퍼즐 2000 조각을 맞추었다는 것입니다. 약 반 정도의 그림이 맑은 푸른 하늘이었습니다. 긴장을 푸는 시간이라기보다 인내심을 발휘해야 하는 시간이었지만 마침내 마지막 조각을 맞추었을 때 느꼈던 만족감은 대단한 것이었습니다.

6월 26일~30일: OMF 일본 필드 회의에서 80명 정도의 일본 선교사들을 만나며 그들 중 몇 명과 친해졌습니다. 경건회를 스튜어트 브리스코가 인도했는데 매우 고무적이었습니다.

7월 1일 오사카까지 기차로 와서 비행기를 타고 12시에 부산에 도착했습니다. 그 후 오후 3시, 6시, 7시 반에 모임이 있었기 때문에 매우 피곤했습니다.

7월 캠프 준비와 새 아파트로 이사할 준비를 하느라고 바빴습니다. 새 아파트는 지난 번 집보다 교통이 훨씬 편리합니다. 현관과 부엌이 붙어 있기 때문에 식사 후 바로 그릇을 씻어 정리해 놓아야 하겠습니다!

7월 8일 닉과 캐서린 딘이 이사하는 것을 도왔습니다. 우리 집에서 버스로 1시간가량 떨어진 곳에 오기 때문에 교제하게 되어 좋습니다.

7월 25~27일 이사벨 여중 캠프를 학생 12명과 마산의 패티슨 댁에서 했는데 오겠다던 리더 두 명이 오지 않아 권자매와 나는 식사 준비 등까지 하느라고 매우 바빴습니다. 그래서 개인적으로 이야기를 나눌 시간이 없

닉과 캐서린 딘 선교사 가족 (몇 년 후 사진)

었습니다. 학생들은 병원에 있는 어린이들이 목욕하는 것을 도와주었고 환자들과 함께 노래를 불렀습니다. 이들 대부분은 우리가 점심시간에 하는 성경공부반에 오지 않기 때문에 9월부터 재개하는 그 모임에 오게되면 좋겠습니다.

7월 27일 4시에 집에 돌아와서 짐을 풀고 식사 준비를 하였으며, 다음날 아침 7시 45분에 또 다른 캠프를 하기 위해 떠날 짐을 다시 쌌습니다. 그 일 외에도 우리가 대접하고 즐겁게 해줘야 할 손님이 다섯명이 있었습니다. 마지막 손님이 떠난 시간은 10시 반이었습니다. 그 날 밤 완전히 뻗어 잘 수 있어서 기뻤습니다.

7월 28~31일 지도자 훈련 캠프 -우리까지 해서 모두 12명이었는데 20대 중반에 직업이 있는 친구들이었습니다. 함께 교제하며 정말 재미가 있었습니다. 거제도로 가서 시골집 방을 두 개 빌렸고 낮에 쓰려고 해변

거제도 와현 캠프에서

에 텐트를 쳤습니다. 엄청 더운 날씨에 보름 경이어서 비교적 바다가 깨끗했습니다. 성경공부는 베드로의 생애에 대한 것이었습니다. 캠프 지도자 훈련 강의는 캠프 준비와 프로그램에서 개선할 점을 질문하여 시작했는데 매우 효과적이었습니다. 그들 중 대부분 일 년 중 유일하게 갖는 휴가였기 때문에 프로그램을 느슨하게 했고 책임을 분담했습니다. 그래서 우리도 편했고 캠프를 즐길 수 있었습니다. (그런데 틀림없이 한국인은 서양인들보다 잠을 적게 자도 되는 것 같습니다!) 두 번의 캠프를 위해서 기도해주어 고맙습니다. 계속해서 그들을 잘 돌볼 수 있도록 기도해주세요.

8월에는 방문객들이 줄지어 오던 달이었습니다. 거의 매일 한 그룹이나 그 이상의 그룹들이 집에 놀러왔고 한 번 이상 식사를 했습니다. 우리는 손님들이 우리집에 아무 때나 편히 오고 싶어 했기 때문에 매우 기뻤습니다. 우리가 문제를 가지고 오는 사람들의 절실한 필요를 잘 감지하여 도울 수 있도록, 그리고 그렇게 하는 사이에도 충분히 잠을 잘 잘 수 있도록 기도해 주세요!

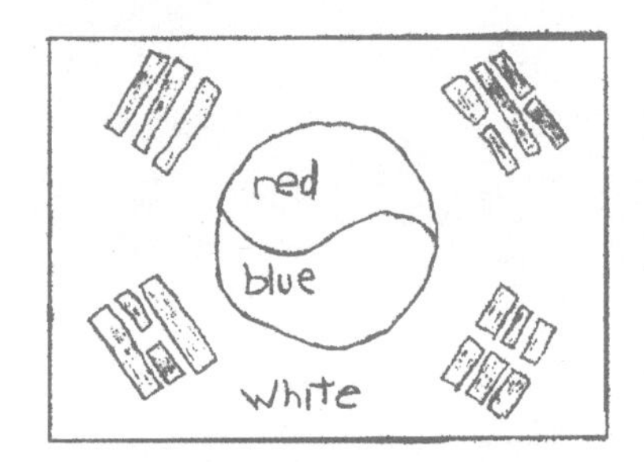

8월 15일 일본에서 해방된 날을 기념하는 공휴일인데 30회째 이었어요. 거의 모든 집에 태극기가 휼날리고 있었기 때문에 제가 그려 보았지요.

흰 바탕 한가운데 완전히 균형 잡히게 나뉜 원이 있어요. 위의 붉은색과 아래의 파란색은 음양으로 나누던 고대 우주의 상징입니다. 서로 반대되는 이 두 가지는 우주의 이분법을 나타냅니다. 빛과 어두움, 남자와 여자, 건설과 파괴 등. 중심되는 사상은 끊임없이 움직이는 가운데서도 균형과 조화도 같이 있다는 것입니다. 네 귀퉁이의 막대기도 반대와 균형의 의미를 포함합니다. 3개의 긴 막대기는 하늘을, 반대편의 나뉜 막대 3개는 땅을 나타냅니다. 아래쪽 왼편 선은 불을, 반대 쪽은 물의 상징합니다.

8월 25일　서울 공항에서 매리언과 헤이즐 워커를 맞이했습니다. 4일 동안 바삐 다니며 관광을 하고 서울에 있는 친구들을 소개해 주었는데, 다음 두 주간은 부산에 내려가서 지내기 때문이었습니다.

8월 29일　다시 공항에 가서 롭 라운드를 맞았습니다. 내가 뉴질랜드에서 다니던 교회에서 왔는데 부산 일신병원에서 3달 간 의료 선택 연수를 받게 되어 있습니다 .

9월에 다시 성경공부반들이 시작되기 때문에 한가해질 틈은 없겠지만 크리스마스 전에 다시 편지하도록 노력하겠습니다. 최근 보내주신 멋진 편지들, 정말 감사했습니다. 늘 관심을 가져 주시고 기도해 주셔서 감사합니다 .

세실리 드림.

한국 연대기
1978년 3월

지금쯤 여러분께 "새해 복 많이 받으세요!"라고 하는 건 이미 때늦은 일일지도 모르겠지만, 저는 여러분이 즐거운 크리스마스를 보내셨기를 바라고, 1978년이 당신에게 행복한 한 해가 되길 기원합니다. 보내주신 모든 편지와 카드들, 정말 감사 드립니다.

제가 편지들을 많이 보내드리지 못해서 사과를 드려야만 하겠습니다. 크리스마스 편지들을 보내기 시작했는데, 몇 통을 보내기도 전에 갑자기 크리스마스 프로그램으로 인해 예상했던 것보다 정신없이 바빠졌습니다. 그래서 메일의 나머지는 보내지 못했습니다. 정말 죄송합니다. 하지만 다음 크리스마스가 되기 전까지는 전부 다 보내드리려고 하는 높은 기대감을 갖고 있답니다.

지금은 크리스마스가 먼 옛날 일 같지만, 제가 어떻게 성탄주일을 보냈는지 말씀 드릴게요. 크리스마스 이브 날, 여기 일신 병원의 호주 장로회 선교사들과 같이 맛있는 호주식 크리스마스 저녁식사를 같이 했습니다. 그곳에서 크리스마스 전야제 행사가 있는 우리 교회로 갔습니다.

내가 막 도착했을 때는 사람들은 누가 목사님의 초상화를 가장 잘 그리는지 하는 대회가 막 끝나던 참이었습니다. 그래서 그들은 그 자리에서 선교사 세실리의 초상화를 그리는 대회를 가지자고 했습니다. 그래서 나는 교회의 한 가운데 의자에 앉아 있고 사람들은 바닥에 무릎 꿇고 나를 그리고 있었지요. 그 작품들을 여러분이 보았으면 재미있었을 거예요!

오! 네, 또 나는 혼자서 노래를 불러야 했어요. 여러분도 그것은 그다지 좋아하지 않았을 거예요.

한국 교회 청년들은 크리스마스 이브에 같이 밤을 새는 전통이 있습니다. 그렇게 하는 주된 목적(?)은 성탄절 당일 아침 5시 예배에 모두 함께 갈 수 있기 때문입니다. 그것은 나에게 그렇게 훌륭한 생각처럼 보이지 않았지요. 그렇지만 그것을 시도해 보지도 않고 그 제도에 대해서 흠을 잡지 않는다는 원리에 따라서, 저는 친교 후에 교회 대학부 그룹과 밤을 지새울 집으로 갔답니다.

캐롤을 부르고, 게임을 하고, 크리스마스 선물을 교환하면서 시간은 빠르게 흘러갔습니다. 몇 명은 제공된 방에서 두세 시간 잠을 잤습니다. 그러고 나서 우리는 모두 새벽 5시 예배에 참석하려고 걸어갔습니다. 여러분이 제가 북반구에 살고 있다는 사실은 잊고 있을 경우를 대비해서 말씀드리는 것이지만 그때는 가장 어둡고 추울 때였습니다.

예배 시간 동안 깨어있는 것은 꽤 어려운 일이었습니다. 그리고 청년 중 몇 명은 결국 그 갈등을 포기해버렸습니다. 그 후 집으로 돌아와 잠시 자고 나서 다시 오전 9시 반 시간에 맞추어 고등학교 그룹 모임을 인도하고 11시 예배를 드린 후 12시 반에 대학부 모임에 참석했습니다.

저는 집에 돌아와 옷을 갈아입고 약속 시간에 맞추어 권 자매와 같이 딘 가족의 맛있는 '영국식' 크리스마스 저녁식사 자리에 갔습니다. 말할 필요도 없이 밤에 아주 피곤했습니다. 크리스마스 이브에 밤새 내내 같이 있는 것을 아주 훌륭한 생각이라고 말하지 못하겠습니다. 아마도 다음부터는 크리스마스를 더 잘 지낼 수 있는 무엇인가를 생각해 낼 필요가 있을 것 같습니다. 좋은 제안들 없으세요?

1월과 2월이 시작되었는지 깨닫기도 전에 벌써 다 지나가 버렸습니다. 수많은 방문자들이 있었고, 서울에 있는 치과에 다녀왔으며, 입원한 아들이 있던 동료 선교사를 도왔고, 교회 대학부의 밤샘 파티에 갔었습니다. (내가 나이 먹었다는 것을 느끼기 시작해서 두렵답니다.)

3월, 지금까지 제일 중요했던 사건은 권 자매와 같이 성서 유니온의 성경 읽기 방법과 자료들을 소개하기 위해 시골 교회를 방문했던 일이었습니다. 저는 그날 아침 6시에 일어나 교회에서 전할 말씀 준비를 마무리 했습니다.

그러고 나서 교회로 가서 9시 반 고등부 성경공부를 인도하고 미스 권을 만나 버스를 탔습니다. 약 한 시간 후, 작은 마을에 도착해서 다시 버스를 갈아탔지요. (버스 타이어에 펑크가 나서 거의 한 시간을 기다렸음) 우리는 학생 모임 시간보다 조금 일찍 도착해서 목사님 댁에서 근사한 점심을 대접 받았습니다.

목사님의 자녀들은 내가 외국인이라는 것에 큰 흥미를 보였습니다. 그리고 가장 작은 아이가 다른 사람들에게 저에 대해 묘사하는 것을 들었습니다. "그분은 눈은 빨갛고 머리는 흰색이었어요." 제가 안식년으로 집에 갔을 때 그런 인상이 아니면 좋겠네요. 그런데 확실이 최근 들어 흰머리가 많아졌어요.

중고등학생들(약 15명)이 오후 2시 반에 드리는 중고등부 예배에 우리가 간 것이었습니다. 예배 후 우리는 비스킷을 우적우적 먹으면서 학생들의 질문을 받았어요. 남학생 몇 명이 매우 좋은 질문들을 던졌습니다. 여자 아이들은 매우 부끄러워했고, 우리는 그들에게서는 속닥거리며 얘기하는 것 외에는 별 이야기를 듣지 못했습니다.

모임은 오후 5시경에 끝났습니다. 그러고 나서 우리를 초대했던 자매가 저녁 식사대접을 위해 자기 집에 우리를 데리고 가고 싶어 했습니다. 그녀의 엄마와 할머니는 우리를 위해 특별한 음식을 준비하고 계셨습니다.

한 가지 문제는, 그 때 우리가 근처 언덕에서 경치를 감상하다가 청년부 리더가 운영하는 양계장을 보러 갔는데, 벌써 오후 6시였습니다. 유 자매의 집은 시골에서 걸어서 30분 정도 걸렸는데, 저녁예배가 7시 30분에 시작이었습니다. 그렇지만, 그녀는 우리가 가야 한다고 결정하고, 잠시 사라지더니, 교회에서 남자 두 명과 함께 돌아왔는데 그들은 오토바이를 타고 있었습니다. 권 자매와 내가 함께 한 오토바이의 뒷좌석에 앉고, 유 자매와 한 친구는 다른 오토바이의 뒷좌석에 앉았습니다. 당신은 우리가 안전 헬멧도 쓰지 않은 채 오토바이를 타고 도로와 길을 따라 논밭 사이를 지나는 걸 봤어야 했습니다. 절대 지루한 순간이 아니었습니다!

유 자매의 아버지는 어렸을 때 돌아가셨고, 어머니와 할머니는 유 자매와 오빠 둘을 다 대학 교육을 받게 하기 위해 농장에서 일을 계속하고 있었습니다. 그들은 2개의 방을 가진 통나무 집에서 살고 있었고, 부엌에서 장작을 때서 취사를 하고 있었습니다. 그러나 전기가 있었고, 작은 텔레비전도 있었습니다. 우리는 그곳에서 즐겁게 식사교제를 했는데 오징어가 주 요리 메뉴였습니다. 그러고 나서 교회로 돌아갔습니다. 쌀쌀한 날씨였지만, 아름답고 청명한 날이었기에 달빛 아래 산책은 정말 즐거웠습니다.

작은 교회는 저녁 예배 자리가 꽉 차 있었습니다. 그날 낮에 설교를 위해서 준비할 시간을 갖고 싶었지만 가능하지 않았습니다. 그래서 설교할 시간이 되어 앞으로 나갔을 때 두렵고 떨렸습니다. 그렇지만 하늘에 계신 아버지께서 기도에 응답해주셨고, 한국어 설교노트를 보고 읽는 것 없이 내가 전하고 싶은 메시지를 잘 전달할 수 있었습니다. 권 자매가 이후 약 10분 동안 성경공부를 인도하며 어떻게 그들이 스스로 성경을 공부할 수 있을지 설명해주었습니다.

한국에서는 일주일 동안 날마다 새벽 예배가 있기 때문에 사람들이 자기 혼자 성경을 읽는 법을 사실상 배운 적이 없습니다.

그러나 요즈음, 새벽 예배에 참석하는 사람들이 몇 명 되지 않기 때문에 성서 유니온은 사람들에게 매일 스스로 성경을 읽으며 성경에서 가르치는 바를 날마다 자기의 삶에 적용할 수 있도록 독려하고 있습니다.

예배를 마치고, 성도들은 거의 반수 가량이 우리에게 또 오라고 하면서 큰 길가로 안내해주었습니다. 날씨가 추웠는데도 많은 분들이 택시가 올 때까지 우리와 같이 기다려주었고, 택시 기사에게 택시비를 지불해주었습니다. - 한국인들의 손님 대접은 정말 특별합니다. 우리는 약 11시쯤에 가까스로 마산으로 가는 마지막 버스를 탈 수 있었습니다. - 정말 피곤했지만 우리의 방문은 꽤 가치 있었다고 느꼈습니다. - 많은 사람들이 매일 성경 읽는 일에 정말 관심을 보여주었습니다. 이 사람들이 성경읽기를 진심으로 시작할 수 있도록 그리고 우리가 다시 그 일을 격려하기 위하여 다시 방문 할 수 있도록 기도해주세요.

미래　계속해서 바쁜 날들이 지속될 것처럼 보입니다. 특히 다음의 일들을 위해서 기도해 주시면 감사하겠습니다.

1. 이사벨 여고생들과 같이 하는 금요일 점심시간 성경공부 (언어면에서 아직 힘든 부분이 많습니다.)
2. 성서 유니온의 사역을 소개하기 위해 교회들을 방문하는 것
3. 우리 교회 대학부 캠프, 5월 4일/5일(나는 또 밤샘 모임을 한다는 소문을 들었습니다.)
4. 한국어 공부 -나는 여전히 설교를 다 이해할 수 없고 한국어로 말씀을 전하고 기도하는 것이 매우 어렵습니다.
5. 마산 병원 직무들 - 패티슨 가족이 휴가를 간 동안, 나는 병원에서 재정 일 등의 책임을 맡게 되었습니다.
6. 안식년 계획 - 아마도 올해 10월/11월 안식년으로 한국을 떠나 호주로 가게 될 것입니다. 그리고 1979년 중반쯤에 뉴질랜드에 있고 싶습니다.

이사벨 여고 성경공부 그룹

짐 나르기 한국인들이 짐을 운반하는 다양한 방법을 찍은 슬라이드들을 가져갈 수 있었으면 합니다. 이곳에서는 지게(A모양의 도구)로 짐을 나릅니다. 때때로 그것들 위에 엄청난 양의 짐을 얹어서 옮기기도 합니다. 시골뿐만 아니라 도시에서도 여전히 많이 운송수단으로 사용합니다.

매년 이맘때쯤에는 커다란 목련꽃들이 활짝 피어 길거리를 풍성케 합니다.

올해에 "짐을 지는 것"에 대해 꽤 알게 되었습니다. 처리해야 할 일들이 쌓여 있고, 제 책임이 훨씬 더 무거워져서 어떤 때는 아주 무겁게 느껴졌습니다. 그러나 "여호와께 짐을 맡기며", 그분께서 지탱해주시는 힘과 기쁨(시편 55:22)을 경험하는 것을 배워가고 있는 중입니다. 여러분께서도 1978년에 자신의 짐들을 그분께 맡겨서 주께서 지탱해 주시는 힘을 경험하게 되시기를 빕니다.

그럼 이만. 세실리.

게디스 가 176A, 투움바 퀸즐랜드 4350.

1979년 9월 11일

제가 호주에 돌아온 지가 벌써 10개월이 되었다니 믿어지지 않습니다. 시간은 정말 쏜살같이 흘러가네요. 지금은 다시 한국으로 돌아갈 시간이 되었습니다. 그래서 10월 9일, 화요일 오후 1시에 브리즈번을 떠나는 콴타스 항공 723편 비행기를 예약했습니다. 안식년을 돌아볼 때 몇 가지 주요 사건들이 떠올랐습니다.

가족과 '친한'(오래된) 친구들을 만나고 새로운 친구들을 사귀었습니다. 보고 싶었던 분들이 많이 있었는데 다 만나지 못했지만요. 유감스러운 일이었지만 점점 원하는 일을 전부 할 수 없는 것이 사람 일임을 깨닫고 있습니다. 제한된 시간에 모든 일을 할 수는 없는 것이지요. 아마도 다음 안식년에는 더 잘 할 수 있을 것입니다.

뉴질랜드 바이블 컬리지에 돌아가서 시간을 보낼 수 있었고 그곳에서 친구들과의 우정을 새롭게 했습니다. 그러나 공부를 많이 하지는 못했습니다.

퀸즐랜드의 성서유니온 간사 몇 명과 '사역'을 했습니다(해변 선교와 캠프 몇 번). 나는 이 시간이 정말로 재미있었고 많은 것을 배웠습니다. 한국에 돌아가면 배웠던 것들을 활용해야겠습니다.

호주 교회에서 한국에 대해서 이야기한 후에

새로운 모 교회, 투움바의 세인트 앤드류 장로교회에서 매우 따뜻하게 환영을 받았습니다. 10월 7일 주일 오전 11시에 나의 재파송 예배가 그곳에서 있게 됩니다. 여러분께서 오실 수 있으면 참 좋을 것 같습니다. 그날 오후 돈과 다운 골드니는 친절하게 내가 브리즈번 친구들에게 작별 인사를 할 수 있도록 자리를 마련해주었습니다. 브리즈번 지역에 사는 모든 분들께 특별 메모를 동봉할 것입니다.

한국으로 돌아가는 길에 싱가포르와 말레이시아에 들러 친구를 방문하려고 합니다. 그렇게 되면 10월 17일 오후 3시 수요일에 부산에 도착할 것입니다. 아마도 일주일 후에 서울로 올라가서 크리스마스 때까지 한국어를 '재충전' 하려고 합니다. 그것을 위해서 기도해 주시면 감사하겠습니다. 다시 한국어로 의사소통 한다고 생각하니 매우 두렵습니다. 서울에서 어느 집에서 살게 될지에 대해서는 아직 모릅니다. 아마도 한국인 친구들의 집에서 살 것 같은데, 그래도 제 주소는 다른 연락이 있을 때까지는 P.O. Box 695, Busan, 600, South Korea입니다. 크리스마스 이후에는 부산에 돌아가서 다시 권 자매와 같은 아파트에서 살고, 성서 유니온 사역과 더불어 우리 교회의 청년부를 맡게 될 것입니다. 제가 한국에 도착할 때쯤은 가을이 될 것입니다. 하지만 11월 중반에 바로 겨울이 찾아오겠죠!

나의 뉴스레터는 여전히 헤이즐 워커가 보낼 것입니다(4 피어든 가, 투움바 4350). 그러니 헤이즐에게

1. 만약에 당신이 이 편지를 받았지만 미래에 뉴스레터를 계속 받을 수 없다면 알려주세요. 저는 이 편지가 당신의 쓰레기통에 넣어져 죄책감을 느끼게 하고 싶지 않습니다!
2. 만약에 당신이 이 편지를 받지 않았지만, 한번 읽은 적이 있어서 이후에 받아보고 싶으시면 알려주세요.

안식년은 즐거웠지만 저는 정말로 한국에 돌아가기를 고대하고 있습니다. 아마도 그 이유 중 하나는 여행 가방을 들고 다니며 사는 생활에 좀 지쳤나 봅니다! 제가 빨리 한국으로 돌아가 생활에 정착할 수 있도록 기도해주세요. 이번 두 번째 사역 기간에 나를 향하신 하나님의 계획이 무엇인지 그리고 어떻게 그분께서 내가 그 일을 감당할 수 있도록 해주실지를 보는 일은 매우 가슴 두근거리는 일일 것입니다.

그럼 이만, 세실리

한국 일대기
1980년 3월

새해 복 많이 받으세요! 만일 당신이 2월 26일 음력으로 설날을 축하하는 세상에 살고 있지 않다면, 새해 인사로서는 좀 늦었기 때문에 어쩌면 "1980년에 복 많이 받으세요!"라고 인사해야 할 것 같습니다.

1980년의 좋은 소식은 "한국에서의 일대기"가 다시 출판되고 있고 그 편집자가 앞으로는 더욱 정기적으로 그것이 여러분께 당도하도록 하겠다는 결심을 했다는 것입니다!! 내용 등에 대해 해주시는 제안은 어떠한 의견이라도 대환영입니다.

지난 번 누군가 한국의 위치를 보여주는 지도를 요청했습니다. 여기에 있습니다.(편주: 세실리의 편지에는 지도가 그려 있었다.) 비록 한국이 거리상 호주에서 먼 거리에 있고, 계절도 반대이지만, 시간으로 말하자면 호주 동부 시간대 보다 한 시간 밖에 늦지 않습니다. 시간을 말하다 보니, 정말 한국에 돌아온 지 너무 시간이 빨리 흘러서 벌써 5달이나 지났다는 사실이 믿어지지 않습니다.

12월이 왔고, 나는 권 자매와 다시 부산의 아파트에서 살고 있습니다. 홍 자매가 또한 우리와 같이 살고 있고(얼마 동안 살지는 모르겠습니다.), 다른 자매 두세 명도 잠깐씩 우리 집에서 살고 있기 때문에 삶이 지루할 때

아파트 주일학교 아이들의 성탄 연극

는 없습니다. 우리가 인도하는 성경공부 그룹들을 위해서 각 모임 때마다 특별하게 성탄을 축하했는데 가장 즐거웠던 시간은 주일학교 그룹과 함께 했을 때였습니다. 내가 안식년을 간 동안, 권 자매는 우리 아파트에서 비공식적으로 작은 주일학교를 시작했습니다. 우리 아파트에 많은 아이들이 살고 있는데 교회 가는 아이들은 몇 명 되지 않았기 때문이었습니다.

크리스마스 전 주일날, 그들은 의상을 갖춰 입고 성탄 연극을 했는데 얼마나 재미있었는지 모릅니다. 가장 어린 소년이 아기예수로 선택되었고, 연극의 첫 장면에서 그는 완전히 입을 다물고 가만히 누워있었습니다. 큰 덮개에 쌓여서. 그러나 극진한 존경어로 "우리의 선물을 받아주시옵소서."라는 말을 듣더니, 아기예수는 커다란 소리로 "네(Yes)."라고 대답하면서 벌떡 일어나 선물들을 집었습니다!!!

1월과 2월은 거의 서울에 있으면서 재충전도 하고 대단한 성공을 거두지는 못했지만 어학능력도 좀 향상시키려고 노력했습니다. 특별히 많은 사람들 앞에서 말할 때 한국어가 유창하게 잘 나오도록, 어학 공부를 계속해서 잘 할 수 있도록 기도 부탁 드립니다. 또한 서울에서 한국 친구들을 방문하고 성서 유니온 매일성경을 집필(영어로)하는 일로 꽤 시간을 보냈습니다. 지금은 고린도 전서를 쓰는데 계속해서 4월 말까지 고린도 후서도 써야 합니다.

여러분께서 뜨거운 여름을 보내고 계시는 동안, 우리는 매우 추운 겨울을 보내고 있습니다. 서울에서 가장 추웠던 날은 영하 17도였던 것 같습니다. 좀 추운 날씨지요!! 그러나 올 겨울 패션의 특징 중 하나는 모직으로 만든 긴 목도리로 귀와 코, 입을 둥글게 싸서 덮을 수 있는 것입니다. 저도 이번에는 한번 이런 유행을 따를 수 있었는데, 홍 자매가 크리스마스 선물로 코바늘 뜨개질로 나에게 목도리를 만들어 주었기 때문이지요. 덕택에 매우 추운 날씨에서 매우 잘 살아남을 수 있었습니다.

올 겨울 서울에는 특별히 눈이 많이 왔습니다. 거의 매일 약 3주 정도 계속 가볍게 눈이 내렸습니다. 눈 내리는 풍경을 보는 것과 하얀 눈 위를 걷는 것은 아름다운데, 눈 온 다음날의 꽁꽁 언 빙판길은 겉보기와는 달리 위험합니다. 어떤 때는 서있는 자세를 유지하기 위해 숙련된 기술이 필요합니다, 그러나 제가 비록 몇 번 앗차 하는 순간들이 있기는 했지만 바닥에 수평으로 누워 있지 않을 수 있었다고 말씀드릴 수 있어서 기쁩니다!

3월은 한국에서 새 학기가 시작되는 달입니다. 그래서 우리는 새로운 성경공부 모임이 시작되어 더욱 바빠졌습니다. 제게 한 가지 새로운 임무가 더 생겼는데, 부산 장로교 신학대학에서 영어 성경과 영어 회화를 가르

고신대 영어회화반/ 고신대 성경 공부 반/ 고신대 복음 병원 간호사 성경 공부

치는 일입니다. 그 대학은 신학과뿐 아니라 보통 대학에 있는 음악과, 교육학과도 개설되어 있습니다.

저는 일학년 학생들을 가르치는 수업을 수요일에 4시간 하게 되었습니다. 점심시간 전 2시간 영어 성경공부, 점심 후 영어 회화 수업이 2시간 있습니다. 한 반에 69명이나 있어서 어떻게 대화를 나눌 수 있을지 모르겠습니다! 제가 가능한 한 흥미롭고 도움 되게 수업을 진행할 수 있도록 기도해주세요. 그리고 또한 학생들과 교수님들과 개인적인 관계를 가질 수 있도록 기도해주세요. 금요일마다 다른 일 학년 반에서 영어 회화 수업이 2시간 있습니다. 여기는 한 반에 25명뿐입니다.

그 대학은 최근 어학 실습실을 설치했습니다. 이곳에서 학생들은 헤드폰을 끼고 카세트 테이프를 듣고 마이크로 말도 할 수 있습니다. 나는 학생 개인들이 말하는 것을 들으면서 발음을 고쳐줍니다. 그렇게 하니 확실히 가르치기가 더 쉬워졌습니다. 지금까지는 수업 준비와 가르치는 것이 정신적으로 꽤 긴장이 되었었는데, 이런 수업 방식에 더 익숙해져서 긴장이 풀리고 더 즐겁게 수업을 할 수 있게 되면 좋겠습니다. 첫 수업 시간에 학생들에게 저를 소개하면서 칠판에 "모어 교수(Professor Moar)"!라고 쓰는 것을 여러분이 와서 보았더라면 재미있으셨을 거예요.

나의 주간 스케줄은 대충 이런 식으로 정리될 수 있겠습니다.

- **일요일** 오전 9시 반, 대신동 교회 고등부 성경공부 모임 (얼마나 이 모임이 지속될는지 모릅니다.)
- 오전 11시, 삼일교회(나의 모교회) 아침 예배 참석
- 오후 12시 30분, 삼일교회 대학부(보조 교역자임) 모임 참석

- 오후 7시, 우리 교회 저녁 예배 참석하거나 성서 유니온 홍보를 위해 다른 교회 방문
- **월요일** 휴무(이론상으로 –언제나 실제로 그렇게 되지는 않음!)
- **화요일** 저녁 성서 유니온 모임들
- 첫째 주 화요일 – 교회 대표자 훈련, 두 번째 화요일 –성서 유니온 기도모임, 3번째 화요일 –간사 기도모임, 4번째 화요일 –부산 성서 유니온 위원회모임
- **수요일** 오전 10시~오후 4시, 신학대학에서 가르치기
- 오후 4시~오후 6시, 대학에서 영어 성경공부
- 오후 7시 반, 저녁 예배 참석
- **목요일** 저녁 "방문자들의 날" –우리는 목요일 저녁시간을 비워 두어서 사람들을 초대하려고 합니다.

부산 성서 유니온 이사 위원 수련회

- 금요일
- 오후 2시~오후 4시, 신학대학에서 가르치기
- 오후 4시~오후 5시, 대학원 영어 성경공부
- 오후 5시~오후 5시반, 복음 병원에서 학생 간호원들과 성경공부
- 오후 7시 반, 대신동 교회의 청년부 그룹과 성경공부 (권 자매는 이 때 우리 아파트에서 성경공부를 인도함.)
- 토요일
- 오후 3시, 우리 아파트에서 영어성경공부
- 저녁 우리 교회 대학부 그룹과 노는 시간을 가지려고 시간을 비워 놓았는데 아직 궤도에 오르지 못함.

위에 있는 프로그램들에 더하여 또 일들이 있습니다. 정기적으로 OMF 선교사들을 만나는 것과 매달 한국인들이 해외 선교에 관심을 갖도록 하기 위해서 선교 기도회를 하는 것, 성서유니온 성경읽기 방법과 자료들을

영어 성경 공부 그룹

소개하기 위해 교회와 목회자들을 방문하는 일들을 하고 있습니다. 또한 어학공부뿐만 아니라 쇼핑과 집안일, 그리고 더욱더 중요한 일은 손님들을 맞는 일입니다. 우리 아파트 아이들이 '아줌마' 집에 놀러 오는 일은 인기 있는 유희입니다. 아이들이 오면 저는 뉴질랜드에서 가져온 퍼즐조각을 내놓는데 아이들이 좋아합니다. 그렇지만 어린 초등학생들에게는 너무 어렵기 때문에 세실리 '아줌마"가 보통 그들이 끝내는 일을 도와주는데, 그 일은 재미가 있습니다.

성경공부 모임(주마다)을 더 열어달라고 하는 초대를 많이 받고 있지만, 나는 다 수용할 수 없습니다. 한국에 OMF 선교사들이 더 올 수 있도록 기도 부탁드립니다. 지금 이곳에는 성경공부 사역을 할 수 있는 거의 무한대의 가능성이 있습니다. 그러나 저는 세상에서 하는 어떤 일도 기도가 없이는 지속적인 열매를 맺을 수 없음을 확실히 알고 있습니다. 그래서 저는 날마다 개인적으로 성경을 묵상하고 기도하는 시간을 갖는 외에 특정한 시간을 들여서 제가 관여하고 있는 사람들과 사역 그리고 한국의 교회들을 위해서 매일 기도를 합니다. 그러나 나는 아직 이 일로 자신을 훈련하는 일에 완전히 성공하지 못했습니다. 저를 위해서 기도해주세요.

여러분 중 많은 분들이 크리스마스 때 소식을 주셔서 너무 기뻤습니다. 정말 감사합니다. 안식년에서 돌아오고 보니 여러분들의 지속적인 지원과 관심, 그리고 기도들이 얼마나 격려가 되는지 모릅니다.

그럼 이만.

세실리로부터.

삼일교회 대학부

이금도 담임 목사님과

대학부 회장 졸업식에서

◀삼일교회친구들▲

여전도회 성경 공부반

한국 연대기

1980년 8월

한국에서 인사 드립니다! 이맘 때쯤 보통 저는 "청명한 한국으로부터"라고 말할 수 있었을 것입니다. 8월 중반에서 10월 말경까지 보통은 아름답고 청명한 가을 날씨이기 때문이지요.

그런데 올해는 장마철이 끝이 나지 않을 것처럼 보입니다. 부산에 지난 두 달 동안 거의 매일 비가 왔습니다. 그리고 비가오지 않을 때는 날이 흐렸습니다. 도시에 사는 우리들 (일주일 동안 어디를 다녀와서 보니 옷장에서 내 옷이 곰팡이로 뒤덮여 있었습니다.)에게 있어서는 그저 불편한 일이었지만, 곡식이 익어 맑고 건조한 날씨가 필요한 농부들에게는 정말 심각한 일이 아닐 수 없습니다.

지난 번 편지를 썼던 이후에, 저는 5층짜리 아파트로 이사를 했습니다. 이곳은 높은 언덕의 중간에 위치해 있어서 기차역과 컨테이너, 선박 터미널과 항구 등 도시가 아래로 내려다보이는 곳입니다. 제가 피곤할 때면, 버스에서 내려서 언덕으로 올라와서 다시 5층까지 엘리베이터 없이 계단을 걸어 올라오는 길이 무척이나 멀게 느껴집니다. 그러나 아파트에서 내다보는 경치는 그 수고를 감내할만한 가치가 있습니다. 우리 아파트 구조를 보여드리면 재미있으실 것 같네요.

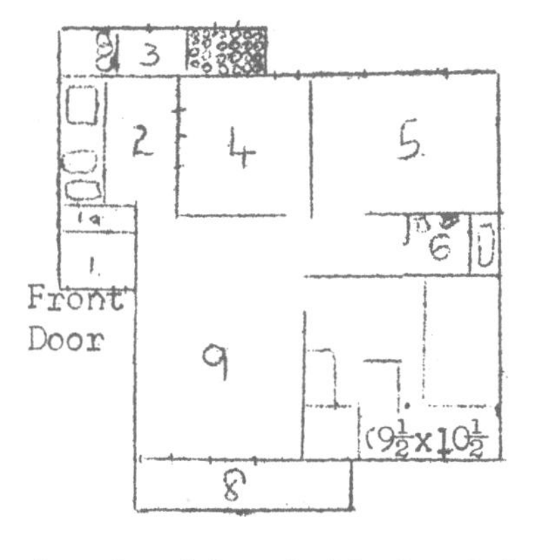

1. 현관: 그곳에서 신발을 벗고 들어옵니다. 1(a)는 한쪽으로는 부엌 쪽으로 놓인 선반이 있지만 입구 앞에는 신발장이 있습니다. 나갈 때는 신발들을 꺼내 신고, 다시 들어올 때는 그것들을 선반에 넣습니다. 매우 편리합니다.

2. 부엌: 벽을 따라 싱크대, 의자 그리고 천장 등이 넓은 복도 앞에 설치되어 있습니다.

3. 안쪽 뒤 베란다: 왼쪽 부분에 석탄을 때는 난로 (콘크리트로 발라 놓은 구멍들)가 있어서 연탄을 태우는데 그것이 물을 데워서 4,5 그리고 7번 방 바닥에 설치된 파이프를 지나가게 하여 바닥을 따뜻하게 데웁니다. 오른쪽에 연탄을 쌓아두었습니다.

4. 식당으로 사용할 수 있는 작은 방(부엌으로 들어가는 슬라이드 문이 있습니다) 또는 제 삼의 손님을 위한 침실: 아직 어떻게 쓰이게 될지는 모릅니다.

5. 권 자매의 방

6. 화장실: 대야, 샤워기가 갖추어져 있는 작은 욕조가 딸려 있습니다. 서양식 화장실과 제한된 양의 뜨거운 물은(우리가 연탄 시스템을 얼마나 잘 운영하느냐에 따라 달렸습니다) 꿈꾸지 못했던 사치이지요!

7. 내 방은 추울 때는 또한 모임장소로도 사용됩니다. 나의 책상이 말쑥하게 유지될 수 있는 좋은 장치입니다. 접히는 스펀지 고무 매트리스는 보통 낮에는 제 옷장 맨 위로 치워 놓습니다.

엘레베이터 없이 등산하듯 올라갔던 모선교사 집

8. 앞 베란다: 화분을 키우거나 빨래를 말리는 곳입니다.

9. 우리의 "거실": 책장을 빼고는 아직까지 아무 가구도 없습니다. 이곳은 모임을 하기에 좋은 장소이지만 보통 불을 때지 않아 겨울에 조금 춥습니다. 최근에 우리는 손님들을 편안하게 해 드리기 위해 소파를 가져오기로 결정했습니다. 더욱더 꿈꾸지 못했던 사치입니다! 제가 처음 왔던 때 이래 지난 6년간 어떻게 변했는지를 되돌아보면 흥미롭습니다. 그때 당시에는 잘 사는 집에만 소파가 있었는데, 요즈음엔 대부분의 중산층에게 필수품이 된 것 같습니다. 발코니에는 유리로 된 슬라이드 문이 있어서 우리는 경치를 즐길 수 있습니다.

이전에 살던 아파트를 팔 수가 없어서 저는 4월 초에 최소의 가구만 가지고 혼자 이사를 했습니다. 몇 주 후에 권 자매가 뒤따라 올 것인데, 아

추울 때 모임 장소로 사용되던 모선교사 방

마도 10월 쯤 이사할 수 있을 것 같습니다. 그때까지 제대로 정리해 놓으면 좋을 것입니다. 이렇게 좋은 아파트를 구할 수 있어서 주님을 찬양합니다. 또 덤으로 얻은 좋은 점은 이 집이 우리 교회나 우리 교회 청년들이 살고 있는 곳과 가깝다는 것입니다. 그래서 저는 그들이 더 자주 우리 집에 들러주기를 기대하고 있습니다. 그리고 닉과 캐서린 딘(부산에 있는 다른 OMF 선교사)의 집까지 걸어서 10분밖에 걸리지 않습니다. 그래서 우리는 서로 더 자주 만날 수 있습니다.

저는 당신에게 제가 관여하고 있는 그룹과 앞으로 사역을 시작할 삼일장로교회 대학부 그룹을 소개해 드리고자 합니다. 나는 대학부의 보조 교역자입니다.

구성 인원: 평균적으로 대학부는 20명 정도 출석합니다(만약에 교회 출석하는 재적 인원까지 모두 합하면 훨씬 더 많을 것입니다). 대부분 주일학교 때부터 교회를 다니기 시작했지만 그들과 이야기를 나누면서 나는 충격을 받았는데, 그것은 그들 중 많은 이들이 예수그리스도를 자신의 구주로서 인격적인 만남을 갖지 못했다는 것 또는 그리스도를 그들의 왕으로, 그들의 삶을 다스려 주시는 분으로 만나지 못했다는 것이었습니다.

그들은 사랑스러운 청년들이었고 나는 그들과의 교제를 즐겼지만 개인적으로 그들을 다 알기에는 시간이 많이 걸립니다. 그들은 우리 집에 몇 번 그룹으로 왔었는데, 비공식적으로 그들이 나는 방문하기 시작해서 너무 기뻤습니다. 지난 주일, 3명의 청년이 모임 후에 나에게 같이 집에 와도 되느냐고 물어보았습니다. 우리는 차를 마시며, 수다를 떨고, 찬양을 부르고 조각게임을 하며 즐거운 시간을 보낸 후 저녁예배를 같이 드리러 갔습니다.

활동들: 일요일 오전 10시, 장년 그룹들과 성경공부 모임

일요일 오후 12시 30분 ~ 오후 2시, 그룹 모임: 보통 전도사님(보조 목회자)들의 강의가 포함되는데, 제가 9/10월 이것을 해달라는 요청을 받았습니다. (그 일을 생각하면 좀 두렵습니다.!!)

토요일 오후 5시 30분, 신입생 성경공부 모임, 또 다른 캠프와 레크레이션 활동 등.

문제들: 의사소통 문제. 아직 어학 실력이 부족해서 여전히 사역을 자유롭고 완전하게 하지 못하고 있습니다. 학생들이 빨리 말하거나 대학생들의 '은어'를 사용할 때마다, 나는 그들의 대화 또는 농담의 어떤 것도 이해할 수 없고 때때로 일이 어떻게 계획되어 가는지 중요한 부분을 놓칠 때

가 있습니다. 매우 좌절이 됩니다! (나는 끊임없이 고린도전서 12:9말씀을 붙들어야 할 필요가 있습니다.)

기도 제목:

1. 9월과 10월 중의 주일 오후 강의를 위해서.

2. 많은 학생들이 예수그리스도와 인격적으로 만나 개인적인 관계를 가질 수 있도록 -그리고 나의 생활(태도, 활동과 언어)이 모든 면에서 이 일에 도움이 되도록.

최근 대학부 활동 중 하나는 8월 첫 번째 주에 있는 여름 수련회 캠프입니다. 우리는 남해섬의 작은 시골 마을에 가서 중고등 학생들에게 가르쳐 주는 일과 초등학교 아이들을 위한 모임을 만들고 사람들에게 복음을 전하는 일 뿐만 아니라 이틀 동안 외래환자 진료소를 열었습니다.

그것은 정말 힘겨운 일이었습니다. 때때로 우리는 새벽 2시까지 잠자리에 들지 못했고 매일 아침 새벽 5시 반에 일어나야 했습니다. 우리는 마을 모임 회관과 사무소를 우리의 거처로 사용할 수 있었습니다. 요 없이 맨바닥에서 잤습니다(여름에 한국인들에게 꽤 일상적인 일입니다.).

그들은 날씨가 꽤 덥다고 예상해서 학생들은 거의 아무도 담요를 들고 오지 않았습니다. 날씨가 습하고 추워져서 큰 문제였습니다. 나의 침낭(주위에 지퍼형태로 되어있는) 덕분에 4명 정도가 따뜻할 수 있었습니다. 하지만 우리는 많은 청년들이 정말로 성경에 대해 간절히 알고 싶어 하고, 몇몇은 예수님을 그들의 구세주로 알게 되는 것을 보고 기쁨을 느꼈습니다. 마을에는 교회가 없었지만 학생들은 성경공부 모임을 계속하기를 원했습니다. 우리가 모임을 인도할 수 있는 크리스쳔을 찾을 수 있도록 그

리고 우리가 이러한 청년들을 위해서 더 충성스럽게 기도하며 편지를 쓸 수 있도록 기도해 주세요. 저는 10월 8, 9일 다시 이곳을 방문하기를 원합니다. (여기 공휴일)

최근에 저는 꽤 여행을 많이 했습니다. 그래서 제가 어디를 다녀왔는지 여러분이 아실 수 있도록 지도를 그려놓았습니다. 그리고 이후 편지에서 언급할 수도 있는 다른 장소들도 포함시켰습니다.

5월에 마산에서 OMF 집회가 있어서 갔습니다. 은퇴한 OMF 총재, 마이클 그리피스가 한국을 방문했습니다. 그리고 서울로 가서 선교 모임에 참석했습니다. 7월 초, 마산에서 다시 성서 유니온 임원 훈련 집회에 참석한 뒤 성서 유니온 국가 대회에 참석하러 부산으로 돌아왔습니다. 참석자도 많았고 흥미도 보였기 때문에 매우 격려가 되었습니다.

7월 하순 경, 권 자매와 나는 교회 고등부 집회에 성서 유니온 성경공부 방법을 소개해달라고 하는 초대를 받았습니다. 집회는 수련회 센터에서 개최되었는데, 2시간 동안 걸어서 무척산을 올라가야 했습니다. 집회 날, 비가 쏟아졌는데, 비록 길이 작은 개울처럼 질퍽거리기는 했어도 우리가 산에서 내려오는 동안에는 날이 개서 감사했습니다. 나의 샌들은 다시는 원 상태로 돌아가지 못할 것입니다!

대학부와 남해 섬에 다녀 온 후에 나는 동역자인 호주 친구 조이스 앤더슨과 같이 대천 해변에서 멋진 휴가를 일주일 보냈습니다. 날씨는 거의 대부분 구름이 끼었지만, 우리는 매일 수영을 하고 심지어 선탠까지 했습니다. 여행 사이사이에 내가 했던 일들 중에는 신학대학 학생들의 숙제를 고쳐주는 일이 있었습니다. 두 과목의 약 75명의 학생들의 한 달간 숙제는 꽤 많은 양의 숙제였습니다.

편지해 주시고 기도해 주셔서 대단히 감사합니다. 여기 한국에서 하는 주님의 일에 여러분이 저와 함께 참여해 주시니 정말 좋습니다.

그럼 이만, 세실리.

와현 해변 캠프

우리는 매년 여름 성경공부하던 청년들과 함께 와현(무교회 어촌)에서 캠프를 하며 해변 선교를 했다. 이중 한 청년은 그냥 재미로 따라와서 일을 돕다가 크리스천이 되었다.

CHRISTMAS IS.......
THE JOY OF GIVING.....
BUT ALSO
THE JOY OF RECEIVING.

한국 연대기
한국.
부산 600,
사서함 695번지
1982년 11월 24일

한국에서 인사드립니다!

크리스마스 카드가 지금 가게에 나와 있는 것을 보니 크리스마스 뉴스레터를 서두르는 것이 좋겠다는 생각이 들었습니다. –한국에서 크리스마스를 생각하는 건 아직 이른 시기이기는 합니다. 보통 여기에서는 12월 23일 정도가 되어야 크리스마스 카드를 사기 때문이지요. 그렇게 해도 보통 크리스마스에 맞추어 목적지에 잘 들어간답니다! 지난 번 편지 이후로 저는 시골 지역에 두세 군데 다녀왔습니다.

비치 미션 캠프(8월) 거제도의 어촌에 가서 비치 미션 캠프를 했던 주간은 아름다운 날씨였고 바다도 잔잔했습니다. – 우리가 갔던 그 전 주와 그 다음 주는 태풍 때문에 배들이 다니지 않았기 때문에 참으로 기도의 응답이었습니다. 올해 또 다시 약 50명의 지역 아이들이 매일 아침 참석했고, 부모님들도 기뻐했습니다. 그러나 캠프에 어려움이 없던 것은 아니었습니다.

한 가지 문제는 마을에 아름다운 해수욕장이 하나가 있는데, 학생들과 휴가 객들이 많이 알고 있는 곳이었습니다. 우리가 그곳에 있는 동안, 개인 집에서 방들을 구하고, 해변에서 캠프를 하며, 이른 아침 시간까지 많은 이들이 해변에서 디스코를 즐기던 손님들이 약 300~400명 가량 되었던 것으로 짐작합니다.

작은 어촌에서 만나리라고 생각도 못했던 문제였지요! 우리는 성수기에 그곳에 있었고, 보통 때라면 참석할 수도 있었던 많은 청소년들은 음식을 파는 노점에서 부모님들을 도와드리느라고 분주했습니다. 또한 대부분의 부모님들은 너무 바빠서 자녀들이 준비한 저녁 프로그램에 오지 못하십니다. 내년에도 가고 싶은데 언제 가는 것이 적절할지 잘 알 수 있도록 기도를 부탁 드립니다. 참석한 모든 아이들에게 "징검다리"(아이들 성경 읽기 책)와 마가복음을 한 권씩 주었습니다.

그들이 그 책들을 읽도록 기도합니다. 그리고 그들의 부모님 또한 그들과 함께 그 책을 읽어서 하나님이 계속해서 그들의 마음을 준비시키시고 그들 중 몇몇이 그분을 인격적으로 알 수 있기를 바랍니다. 우리는 크리스마스 겨울방학 동안 그들을 한 번 찾아가서 계속 연락을 하고 지내기를 희망하고 있습니다.

유하 교회 방문 8월 말에 나는 우리 대학부 그룹이 작년에 모임을 가졌던 유하 마을을 방문할 수 있었습니다. 지난해에 우리의 방문 결과로 교회를 가기 시작했던 고등학생 두 명을 만나게 되어 너무나 반가웠습니다. 그 중 한 명은 정말 크리스찬이 된 것처럼 보였습니다. 반대로 실망스러운 소식은 젊은 전도사가 떠나고 연세 드신 분이 오셔서 중고등부 학생들을 위한 모임이 없다는 것이었습니다.

삼일교회 하기봉사

유하에서 근무하셨던 초등학교 선생님과 함께 우리는 버스로 5시간, 걸어서 1시간을 가서 오후 5시쯤 도착했습니다. 학생들은 우리가 온다는 소식을 듣고 약 50명의 중고등부 학생들이 8시 모임을 위해 나타났습니다. 모임 후에, 다과와 많은 이야기를 나누었고 자정이 되기 전, 나는 잠자리에 들 준비를 했습니다. 그 때 한 소녀가 나에게 말했습니다.

"선교사님, 아침 설교를 준비해야 하죠? 그렇죠?"

"무슨 설교?"

"전도사님은 선교사님이 새벽 4시 반 새벽 예배에 설교를 하기를 원하실 거에요."

"하지만 아무 말씀 없으셨는데?"

"틀림없어요. 아침에 부탁할 거에요."

그래서 잠들기 전 나는 혹시 몰라 설교 메시지를 위한 개요를 준비해 두

동계수련회

었습니다. 단지 만약의 경우에 대비해서!

새벽 4시에 우리는 수탉의 울음소리에 의해 깨어났고, 칠흑 같이 어두운 밤에 교회로 가기 위해 나섰습니다. 교회 예배는 몇 곡의 찬송가를 부르며 시작했습니다. 그러고 나서 전도사님은 기도하고 나서, 모어 선교사가 설교할 것이라 말했습니다. 그래서 그렇게 했고, 하나님께서 할 수 있도록 도와주시는 것이 깊이 느껴졌습니다!

사람들은 예배 후, 짧은 시간 동안 머물러 기도했고, 우리가 교회 밖으로 나오자, 새벽 하늘이 붉은 색으로 멋지게 물들어 있었습니다.

우리는 약 한 시간 동안 논둑 길을 거닐면서 해가 떠오르는 것을 지켜보았습니다. 그러고 나서 전도사님 댁으로 돌아가 아침을 먹었습니다. 더 자주 하루를 그와 같이 시작한다고 해도 나는 상관없겠지만, 그날 밤 매우 피곤했다고 고백해야겠습니다. 나는 겨울 방학 동안, 아마 1월 초쯤, 우리 교회 학생들 몇 명과 다시 가서 작은 집회를 열고 싶습니다. 하나님의 계획이 무엇인지 알 필요가 있고 그것을 위해서도 기도해 주시면 감사하겠습니다.

이 기간(9월~12월)에 나는 서울에서 대부분의 시간을 보내고 있습니다. 어학원은 가지 않았지만 우리 OMF 선교사들을 위한 언어 공부 프로그램의 개요를 준비하기로 되어 있습니다. 그런데 지금까지는 다른 일들로 계속 분주했던 것 같습니다(거리를 돌아다니며 부동산을 방문하는 일들을 포함해서). 한국 부동산들은 호주에서 같은 이름으로 사용하는 부동산과는 하나도 닮은 점이 없습니다. 이곳에서는 "복덕방"이라고 하는데, 문자적으로는 "복 있는 방 또는 행운이 있는 방"이라는 뜻입니다. 나의 탐색이 길면 길수록, 그 용어는 더더욱 적절하지 않은 것으로 드러났습니다.

그러나, 사람들은 계속 기도했고, 우리는 적절한 집을 적절한 때에, 그것도 적절한 가격으로 드디어 찾았습니다! 그 집은 새로운 OMF 선교사 가족(제레미, 앤 비숍 그리고 어린 루스)을 위한 집이었습니다. 12월 중반쯤 그들이 올 것입니다. 아마도 저는 11월 말쯤, 그 집이 비면 이사를 해서, 비숍이 도착한 후에도 잠시 그곳에 더 머물면서 그분들이 현지에 적응하도록 도울 계획으로 있습니다. 크리스마스 전에 다시 부산으로 돌아갈 것입니다.

1월 중에, 나는 아마도 한동안 서울에 다시 돌아가야 할 것 같습니다. 뿐만 아니라 거제도와 유하도 다시 방문하고 싶습니다. 부산 학생 몇 명이 겨울 방학 동안에 특별 영어 성경공부를 해달라는 부탁도 있습니다. 그리고 아마도 편지 답장도 전부 해야 할 것이고, 신학대학의 영어 수업과 성

부산여대 성경공부 그룹

경공부를 위해서 파일 기록도 곧 정리하고 미리 준비도 해야 할 것입니다. 1983년에 기다리고 있는 모든 기회와 가능성을 생각하니 마음이 들떠옵니다! 그렇지만 이 편지는 제가 여러분들께 보내는 크리스마스 편지라는 걸 기억해야겠네요.

우리 한 사람 한 사람이 이번 크리스마스에 시간을 내어 하나님께서 우리에게 주신 선물을 다시 한 번 생각해 보기를 바랍니다. 그리고 예수 그리스도께서 우리의 구세주로 받아들이고 그분의 임재가 우리와 함께 하시는 것을 아는 기쁨을 새롭게, 또는 난생 처음으로 경험하는 시간이 되기를 빕니다.

표현할 수 없이 귀한 선물을 주신 하나님께 감사하며, 세실리

"하나님이 세상을 이처럼 사랑하사 독생자를 주셨으니
이는 그를 믿는 자마다 멸망하지 않고 영생을 얻게 하려 하심이라"
(요한복음 3:16)

Overseas Missionary Fellowship
12 KARUAH ROAD
TURRAMURRA

Prayer Compan
Letter

Korea.
1976.

Thursday, 11th July, 1974

P.O. Box 695,
Pusan, 600,
SOUTH KOREA.
5th December, 1980.

Overseas Missionary Fellowship.
2 Cluny Road,

1985 ~ 1996

| 제3기부터 은퇴까지

3, 4, 5기 사역 시작하기 전에 들어가는 말

나는 앞의 글에서 한국에서 보낸 시간들을 회상하는 글을 썼지만, 친구의 부탁으로 다시 한 번 나의 한국 삶을 정리해 보았다.

안타깝게도, 한국에 있는 동안 일기를 쓰지 않아 세부적인 내용이나 날짜에 대해서 정확하게 전달할 수 없다. 다행히 대부분 기도편지의 복사본을 가지고 있어서 이 글을 쓸 수 있었는데, 혹시 중요한 정보를 생략했거나 실수가 있다면 양해를 구한다.

나는 수 많은 한국인 친구들과 동료들의 지지와 우정에 매우 감사하다. 그러나 모든 사람들의 이름을 언급하기는 불가능하기에 몇 분의 이름만 포함된 것도 양해 바란다.

제 3기 사역
(1985년 2월 ~ 1989 2월)

1985년 2월, 나는 부산으로 돌아왔다. 딘 선교사 가족이 광주로 이사 갔기 때문에, 윌리와 케이티 블랙이 부산에서 기반을 잡게 되어 나는 매우 기뻤다. 그분들과 세 딸들과 했던 교제는 참 즐거웠고 그 댁에 가서 식사도 많이 했다. 이전 룸메이트는 지금 대학을 다니기 위해서 서울로 이사를 했는데 하나님께서 유하 교회로부터 새 룸메이트를 보내주셔서 정말 감사했다. 그녀는 매우 좋은 친구가 되었고, 언어 문제와 집안 일에 크게 도움이 되었다. 그 룸메이트들이 도와주었기 때문에 나는 사역에 깊이 개입할 수 있었다. 언제나 그 감사함을 잊지 못할 것이다. 이해 마지막 무렵에는 두어 명이 더 와서 우리 아파트에서 같이 살았다.

블랙 가족

한국에 있는 OMF팀은 늘어나고 있었다. 1985년부터 그 이후 몇 년 간, 나는 우리 선교사들이 살 집을 구하러 복덕방들을 돌아다녔다. 언어 고문으로서의 역할도 많아졌다. 우리 선교사들이 어학 지도를 받을 수 있는 선생님을 찾는 일이나, 언어가 얼마나 진보되고 있는지 평가 받는 일을 주선하기 위해서 나는 꽤 많은 시간을 들여서 서울, 광주, 강릉, 춘천, 전주 등을 여행했다. 우리가 언어를 배우는 일이나 설교 말씀을 준비하는 일을 도와주기 위해서 너그럽게 시간을 내어준 많은 분들께 정말 감사한다. 그렇지만 나는 언어 고문으로서 맡은 일을 제대로 하지 못했음을 고백할 수 밖에 없다. 성경공부 사역은 정말 재미가 있어서 계속해서 깊이 관여를 하고 있었지만, 선교사들 언어 학습을 돕는 일에는 충분히 시간을 들이지 못했기 때문이다.

1986년 OMF 선교사인 테리와 게이 파이가 안식년을 떠났다. 그래서 나는 서울로 옮겨 1년간 OMF 한국 필드의 행정 사역을 하게 되었다. 이 기간, OMF 본부 간사님들의 도움에 감사하고, 꽤 많은 일을 그들과 함께

도문갑 총무를 비롯한 OMF 본부 간사님들과 함께 일하며 즐거웠다.

이사벨라퍼디와 함께 도시가스 아파트에서 살았다.

하면서 즐거웠다. 나는 잠실에 있는 장미아파트에서 클라스, 이블린 하우징거와 함께 살게 되었고, 우리는 서울로 오는 OMF 방문자들을 모두 맞이했다. 서울에 있는 동안 나는 잠실 중앙교회에 참석했고, 그 해 말에 가서는 청년회 기관의 일에 많이 관여하게 되었다. 또한 매달 부산을 방문하여 금요일 성경공부, 토요일 오후 영어 성경공부, OMF 기도 모임에 참석했다.

5~6월에 5주 동안 매일 한국인 선교사 지망생들과 영어 성경공부를 인도하던 일은 정말 즐거웠다. 그리고, 9월부터 11월 중순까지 OMF 행정일을 병행하면서, 나의 어학 능력을 한 단계 높이기 위해서 연세대학교에서 한 학기 동안 어학을 공부했다.

OMF의 행정을 돕는 일을 1987년 6월까지 했다. 그 6개월 간 나는 OMF 선교사인 이사벨라 퍼디와 함께 도시가스 아파트에 같이 살았는데 정말 좋았다. 2월 기독 간호사회에서 설교를 해달라고 하여 그 준비를 하는데 내 자신이 은혜를 많이 받았고, 좋은 자매들과 말씀을 나누게 되어 매우 기뻤다. 서울에서 머물던 나머지 기간 동안, 선교사 후보생들과 신학생들과 성경공부를 하던 일도 매우 즐거웠다. 7월, 선교 한국에서 세미나를 두세 번 인도했던 일은 나에게 있어서 대단한 특권으로 생각되었다.

1987년 7월 나는 다시 부산으로 왔다. 일단 부산에서 나는 전에 했던 사역들을 다시 맡게 되었다. 삼일교회 대학부에 소속된 금요일 저녁 성경공부, 토요일 영어 성경공부, 그리고 삼일교회 고등부 학생들과 함께하는 영어 성경공부, 매달 OMF 기도 모임 등이 있었다. 또 다른 자매가 살 곳이 필요했다. 그래서 같이 살게 되었는데 한 동안은 덕림 아파트에 5명이 함께 산 적도 있었다.

이 기간 동안 삼일교회에는 담임 목사님이 계시지 않았다. 그래서 부 목사님은 나에게 월요일 아침 교역자 모임에서 성경공부를 인도해달라고 부

삼일교회 교역자들과 함께

탁하셨다. 나는 교역자 분들과 공부하는 그 자리가 즐거웠고, 그분들 중 김홍규 목사님은 함께 공부했던 느헤미야서를 교재로 모아 놓으셨다. 이후, 나는 몇몇 목사님 사모님들과 성경공부를 시작했고, 몇 년에 걸쳐 그분들과 좋은 교제를 할 수 있어서 감사했다. 이 동안 나는 삼일교회 주일학교 교사 훈련 프로그램에 참석하고 있었다. 그곳에서 나는 경건생활과 시청각 교육도구 사용에 대한 강의를 했다.

나의 아버지께서 80번째 생일을 맞으시고, 여동생이 갓 결혼한 일로, 1987년 성탄절 짧은 휴가 기간 동안 나는 호주로 돌아갔다.

1988년 삼일교회에서의 나의 사역은 바뀌었다. 이제 주일 오후에 청년회 회원들을 만났고 또한 주일 저녁에는 그 리더들을 만났는데, 그들과 함께 김밥을 먹던 행복한 기억이 있다. 게다가 나는 제 3여전도회와 같이 일을 맡게 되었고, 젊은 집사님들과의 성경공부뿐만 아니라, 연세가 있으신 권사님들과도 성경공부를 하게 되어 기뻤다. 또 다른 즐거웠던 시간은 우

삼일교회 권사 성경공부 모임

리 교회 장로님 한 분과 그의 가족들이 함께 시간이 날 때 성경공부 모임을 가졌던 일이다.

또 이때 했던 일 중에는일신 병원 의사들과 매주 영어 성경공부를 한 일이었다. 나에게는 이 시간이 특히 행복했는데, 내가 주일학교에 다닐 때 이 병원에 대해서 들었기 때문이었다. 나는 10살 때, 호주의 여의사와 간호사 선교사가 일신병원을 시작했다는 말을 듣고, 하나님이 나를 한국의 선교사로 부르신다고 느낀 적이 있었다. 그렇게 이 병원은 내가 한국에 선교사가 되어 온 일과 매우 연관이 되어 있다. 나는 이 병원 의사 선생님들과의 성경공부가 즐거웠고, 이곳 의사 선생님들 몇 분과의 교제와 우정 또한 감사했다. 그리고 내가 한국을 방문할 때면 그들을 다시 만날 수 있어서 감사했다.

이민자 부서의 직원들을 위한 영어 성경공부도 잠시 한 적이 있었다. 이

일신 기독 병원 성경 공부 그룹

는 올림픽 게임 행사 기간 동안 외국인들과 의사소통을 위한 필요성 때문에 그들을 영어로 돕는 일이었다. 올림픽 성화가 지나가는 것을 보러 우리 집 아파트 근처의 거리로 내려갔던 기억이 있다. 나는 올림픽 경기들은 한 번도 보지 못했는데, 우연히 장애인 올림픽이 열렸을 때 서울에 있었다. 우리가 경기장을 지나치며 걸어가는데 아무나 안에 들어가 경기를 볼 수 있다는 것이었다. 그래서 안에 들어가 경기 행사를 보았는데 매우 특별한 경험이었다.

나는 여전히 1988년 말에 일어났던 일이 분명하게 기억난다. 성경공부 모임에 오던 자매 한 명이 자기 남편이 아직 하나님을 믿지 않지만, 토요일 영어 성경공부에 데려오고 싶다고 했다. 그가 두 번째 왔을 때였는데, 우리는 다메섹 도상에서 바울이 예수님을 만나는 본문을 공부하고 있었다. 그는 자기가 믿기 위해서는 그 바울과 같은 경험이 필요할 거라고 했

케이티 블랙 선교사와 성경공부

다. 며칠 후 그는 심각한 교통사고 사건에 휘말리게 되었다. 그리고 그는 자기가 잘못을 하지 않았음에도 불구하고 며칠 간 감옥에 수감되어야 했다. 이때 우리는 그를 위해 기도했는데, 그가 성경공부 모임에 다시 왔을 때, 그는 우리에게 예수님을 믿게 되었다고 말했다. 세월이 많이 지난 후에도 그는 여전히 신실하게 교회에서 잘 섬기고 있다.

1989년 2월, 나는 한국을 떠나 세 번째로 호주에서 안식년을 가졌다. 일신 병원에서 성경공부와 목회자 사모님들의 성경공부는 OMF의 케이티 블랙 선교사가 맡아주어 고마웠다. 토요일 영어성경공부 그룹 멤버들은 내가 떠나 있는 동안에도 한국어로 성경공부 모임을 지속하고 있었다.

안식년 동안 나는 한국에서의 나의 사역을 지지해준 교회와 성도들에게 사역 보고를 하기 위하여 여러 도시와 마을을 찾아다녔다. 어느 주말에는 브리즈번의 한인 장로교회 수련회에서 간단히 한국어로 말씀을 전하기도 했다. 내가 호주로 돌아온 후에도 이 교회 성도들이 보여주신 우정에 감사했다. 호주로 돌아와 부모님의 50번째 결혼 기념일을 축하해 드릴 수 있어서 너무 좋았다.

제 4기 사역

(1990 2월 ~ 1993년 2월)

나는 1990년 2월에 한국으로 돌아왔다. 그러나 아버지께서 암 말기로 병원에 누워계시기에 4월에 호주로 다시 돌아가야만 했다. 아버지는 5월 중순쯤 하늘나라로 가셨지만 나는 6월 말까지 어머니를 도와드리기 위해 호주에 머물러 있었다.

이 기간에 나는 새로운 사역을 하게 되었다. 고신 총회 교육위원회의 협력 선교사로 사역해달라는 요청을 받았다. 1996년 내가 한국을 떠날 때까

고신 교육위원회 나삼진 목사님과 간사님들

지 나삼진 목사님과 다른 목회 사역자분들과 같이 일하게 되어 너무나 즐거웠다. 그 기간 동안 나는 큐티 세미나 강의와 주일학교 교사 훈련 수업에서 시청각 자료 도구의 사용 강의를 맡아서 했다. 또한 나는 기독교 교육 부서 잡지에 이러한 주제에 대해 기사를 썼다. 그리고 고등학교 학생들을 위한 큐티 소책자를 만들었고 사역자들과도 함께 성경공부를 했다.

나는 삼일교회에 계속 참석했고, 3, 4여전도회와 청년부 성경공부반의 일에 여러 번 참여했다. 주일마다 점심 후에 결혼하지 않은 30대 이후 아가씨 그룹과 모임을 시작했다. 우리는 이 모임을 아름다운 모임이라고 이름 지었다. 나는 이 그룹과 좋은 교제와 우정을 쌓을 수 있어서 감사했다.

이 시간 동안 나는 다시 목사님 사모님들과 이사벨 여고 선생님들, 일신병원의 의사선생님들과 성경공부를 재개했고, YMCA의 직원들과 IVF

고신교육위원회에서 함께 일할 수 있어서 즐거웠다.

사역자들과 함께 한동안 모임을 했다. 토요일 오후 영어 성경공부는 화요일 저녁 영어 성경공부로 변경되었다. 새로운 사역은 토요일 오후에 개설된 영어 주일학교였다. 모임 대상은 부모님과 해외에 있는 동안 영어로 학습을 받았던 아이들로만 제한되었다. 내가 어린이 사역을 좋아하기는 했지만, 한국어로 아이들과 효과적으로 의사소통하기에는 나의 실력이 부족했다. 이 사역을 하면서 의미가 있었던 일은 교회에 다니지 않는 부모님들이 기꺼이 자기 자녀들을 이 모임으로 보내주어 그 아이들이 복음을 들었다는 사실이었다.

이 기간 동안 나는 OMF언어 고문으로서 어학 공부자료를 준비하고 다른 센터의 선교사들을 방문하는 사역을 계속 하고 있었다. 또 이 기간 중에도 격주로 부산에 가서 OMF 선교사님들, 월리 목사님과 케이티 블랙,

고신교육위원회에서 운영하는 교사 통신대학 주일학교 교사 졸업식

일신병원의 바바라 마틴 선교사님이나 또 다른 선교사님들을 만나 계속해서 교제하고 기도했던 일도 매우 감사했다.

1990년이 끝나갈 즈음, 누가 중고 컴퓨터를 주었다. 이것은 어학 공부 자료와 편지뿐만 아니라 성경공부 개요를 준비할 때 꽤 도움이 되었다. 한국에서 지내면서 후원자들과 후원교회에서 정기적으로 기도 편지를 보내며 연락을 지속적으로 하는 것이 쉽지 않았다. 그들이 나와 나의 사역을 위해 어떻게 기도할 지 알아야 하기 때문에 이 일은 중요했다. 그런데 이 기도편지를 쓰는 시간을 내는 일이 꽤 어려웠다. 호주 OMF는 선교사들이 적어도 1년마다 8개의 편지를 보내야 하는 정책이 있었고, 하나님의 도움으로 나는 보통 이러한 숫자에 맞추어 보냈다. 내가 속한 사역과 나를 위해 기도해준 모든 사람들에게 매우 감사하다. 나의 사역에 열매가 있었다면 그것은 모두 신실한 후원자들의 기도 덕택이다.

위에서 언급한 많은 영역의 사역들이 1991년과 1992년 동안에도 지속되었다. 1991년 5월 4~13일, 나는 진주, 마산, 광주, 서울, 대전과 부산에서 열렸던 주일학교 교사를 위한 고신 총회 교육 위원회 세미나의 강사였다. 여행을 꽤 많이 했다. (그곳의 다른 사역자들 만큼은 아니었지만). 10월 나는 SFC 간사들과 같이 제주도에 수련회를 갔는데, 그곳에서 나는 디도서를 가지고 제자도에 대해 말씀을 전했다.

매달 부산에서 한국 OMF 기도모임이 있었는데, 수 년에 걸쳐서 해외 선교에 헌신하는 사람들을 만날 수 있었다. 그것은 매우 격려가 되는 일이었다. 이후에 일본, 캄보디아, 태국 그리고 인도네시아와 같은 해외로 나갔던 선교사들과 기도와 재정 후원자로서 신실하게 섬겼던 사람들을 알게 되어 감사했다. 한 동안 이 모임은 1975~76년 서울에서 했던 나의 첫 성경공부 멤버의 가정에서 진행되었다. 그들은 현재 OMF 책의 번역과 출판을 하고 있고, 뿐만 아니라 다른 여러 가지 방면으로 한국OMF를 지속적으로 신실하게 섬기고 있어서 나는 매우 격려를 받고 있다.

1992년 기독의사회(CMF) 선교 훈련 프로그램의 일환으로 선교에 관심 있는 의대생, 간호사, 의사 및 치과의사들 대상의 영어성경공부를 인도했다.

이 기간들을 되돌아볼 때면 나는 하늘 아버지께서 나에게 주신 친구들과 그들의 우정과 격려가 얼마나 감사한지 모른다. 1992년에 쓴 편지들을 보니 내가 그 해에 7개의 다른 모임에서 생일 케이크를 놓고 나의 생일 축하했다고 기록하고 있다. 나는 그들을 잘 기억할 수 없지만, 기억나는 사건들 중 하나는 사모님들과 성경공부 모임을 할 때, 싱그러운 봄날 부산의 어린이 공원에서 산책하며 다같이 축하했던 기억과 또 다른 하나는 삼일교회의 고등부 영어 성경공부 모임에서 칠판에 그려진 나의 얼굴과 함께 축하 받았던 기억이다.

1993년 2월 초순, 닥터 양승봉과 그의 아내 신경희, 그리고 그의 아이들은 네팔의 선교사역을 준비하기 위해 뉴질랜드의 성경학교로 유학을 떠났는데 우리 교회에서 그렇게 좋은 친구들을 만나게 되어 매우 힘이 되었다. 한국에 오기 전, 내가 뉴질랜드의 성경대학에서 몇 년간 공부를 했기 때문에 내가 한국에 있는 동안 뉴질랜드로 공부하러 가는 사람들을 만나는 일 또한 반가운 일이었다.

그리고 나서 2월 하순, 나는 안식년을 위해 한국을 떠났다. 다시 나는 호주의 많은 후원자들과 후원교회들을 방문했다. 또한 뉴질랜드에 있는 한인 교회들과 몇몇의 후원자들을 방문할 뿐만 아니라 그곳에서 공부하고

미국 콜롬비아 성서 신학대학 졸업

있는 양승봉 형제의 가족들과도 시간을 보냈다.

8월 중순쯤 잠시 한국에 들렀다가 곧바로 사우스 캐롤라이나에 있는 콜롬비아 성서 신학대학에서 석사공부를 위해 미국으로 떠났다. 한국으로 돌아오던 길에 캐나다에 있는 OMF 선교사 친구와 시애틀에 살고 있었던, 1975~76년 나와 같이 서울에서 성경공부를 했었던 멤버 중 한 명을 만났던 일은 매우 특별한 순간이었다.

제 5기 사역
(1994년 6월 ~ 1996년 11월)

1994년 6월 말, 공부를 마치고 부산으로 돌아왔다. 기독교 교육과가 서울로 이전하게 되었고, OMF 선교사들이 첫 어학공부를 서울에서 하고 있었기 때문에 내가 서울로 이사하기로 결정이 되었다. 8월 말, 부산의 친구들은 대단히 성대하게 송별회를 해 주었는데 삼일교회에서 특별 예배를 드리고 같이 식사를 하였다. 10월 중순, 나는 서울의 화곡동에 있는 아파트로 이사를 했다. 그곳은 OMF의 호주 파송 선교사 MA가족과 일본의 이시다 가족이 살고 있는 곳과 가까웠다.

한국에서의 마지막 기간 동안 나의 주된 사역은 고신 총회 교육 위원회와의 협력에 초점이 맞추어졌다. 계속해서 주일학교 교사 훈련 세미나에 참여하면서 주일학교 커리큘럼의 수정과 같은 다른 영역들을 보조했다. 또한 그 사역자 사모님들의 성경공부를 인도했다. 사모님들 중 한 분은 영어 주일학교(해외에서 영어교육을 받은 아이들을 위한) 사역을 도우셨다. 믿지 않은 가정에서 난 어린 소년 한 명이 복음에 감격하던 일을 보았던 일은 내게 큰 기쁨이었다. 이후 나는 그 소년이 아버지를 설득해서 최소한 한번 교회에 함께 갔다는 소식을 들었다.

1986년 서울에 살 때 잠실 중앙교회에 다닌 적이 있기 때문에, 비록 길은 꽤 멀었지만 나는 그 교회에 출석하기로 결심했다. 그곳의 사모님들과 성경공부 모임을 하게 되어 또한 기뻤다. 수요 저녁 예배 이후, 영어 성경 공부를 인도했고, 젊은 청년들이나 그들보다 조금 나이가 있는 청년들과의 교제도 매우 즐거웠다.

서울에서 체재하던 이 기간에 나는 부산에 있었을 때 했던 사역들(성서 유니온의 매일 성경 집필과 세미나의 강의)을 계속했다. 한동안, 선교 사역에 깊이 관여하고 있던 치과의사 두 분과 매주 성경공부를 했는데, 그분들은 매우 친절하게 내 이를 치료해 주셨다. 부산에 있을 때도 이런 도움을 많이 받았는데 그분들께 감사의 말씀을 꼭 전하고 싶다. 1995년 5월, 내가 맹장을 제거해야 했을 때, 서울 복음 병원의 의사와 간호사들께서 보살펴 주어 매우 감사했다.

불광동에서 가졌던 OMF 팀 미팅

이 5기 사역 기간 동안에도 나는 OMF 언어 고문으로 계속 섬겼다. 그렇지만, 다른 사역들이 더 즐거워서 그 일에 더 많은 시간을 들이지 못했다. 또한 나는 한국OMF에서 파송하는 선교사 후보생들이 선교지로 가기 전에 훈련시키는 사역을 도왔다.

1996년 나는 잠실 중앙교회에서 주일학교 사역에 더 개입하였다. 아침 주일 학교 뿐만 아니라 오후에도 오후예배를 드리는 부모님들을 위해서 따로 주일학교 모임을 했다. 주일학교 사역을 맡으신 전도사님과 함께 우리는 오후 주일학교에서 성경 전체를 개괄하는 공부를 시작했다. 우리는 가르칠 때 활동적인 놀이나 연극, 그리고 아이들이 그 연극에 참여하는 등의 다양한 방법을 사용했다.

어느 날 오후 주일학교 시간에 왜 그렇게 소란스러운지를 보려고 장로님 한 분이 찾아오셨던 일이 생각난다. 우리는 출애굽기의 이야기를 가르치고 있었다. 선생님 한 명은 이 파라오의 옷을 입고 있었고, 모든 어린이들은 그 파라오에게 그들이 할 수 있는 한 크게 ‘ 하나님의 백성을 보내주소서’라고 소리치면서 모세 옷을 입은 선생님을 돕고 있었다. 이후 여호수아를 공부할 때는, 모든 아이들이 약속의 땅에 들어가려고 요단 강을 건너는 연극에 참여했다. 그리고 여리고 성 둘레를 돌며 소리치자 종이 박스로 만들어 놓았던 “벽”이 무너져 내렸다. 이와 같이 준비하기 위해서는 시간이 많이 걸렸지만, 나는 이 사역이 매우 재미 있었고, 더 많이 하지 못하고 호주로 돌아가게 되어 매우 유감이었다.

1996년 6월, OMF 선교사인 윌리 블랙 목사님은 타이완 집회에서 설교 도중 심장마비를 일으켰다. 그가 스코틀랜드로 돌아가야 했기 때문에, 케이티가 아파트에서 짐을 싸는 걸 돕기 위해 난 부산으로 내려왔다. (세실리 모어 선교사님은 궂은 일을 솔선해 맡아 하면서 케이티 블랙 사모님이 사역을 정리하고 사람들과 작별을 할 수 있는 시간을 갖도록 세밀히 돕고 있었다. – 역주)

그리고 나서 1996년 7월, 우리 어머니는 집을 떠나 은퇴 마을로 이사를 가셨고, 나는 호주로 돌아와 어머님이 짐을 싸고 이사하는 걸 도왔다. 내게 건강상의 문제가 있는 것을 몇 년 동안 알고 있었기 때문에 나는 호주에 있는 동안 건강검진을 받았다. 검진 결과, 다발성 골수종(적혈구 암)이었고, 항암 화학요법 치료를 받아야만 했다. 치료하려면 몇 달이 걸리기 때문에 나는 짐을 싸기 위해 10월에 다시 한국으로 돌아갔다. 나는 한국에 다시 돌아올 수 있기를 바랬기 때문에, 나의 물건들을 한국에 남겨놓고 싶었다. 이 때, 하나님의 놀라운 공급하심을 경험했는데, 내가 임대했던 아파트 주인이 여분의 방을 가지고 있어서 나는 내 모든 가구와 기타 물건들을 그 방에 잠시 맡길 수 있었다.

호주에 있으면서 나는 브리즈번에서 치료를 받았다. 한인 장로 교회에 참석하였고, 그곳의 많은 사람들의 사랑에 무척 감사했다. 그 교회에서 나는 한국인 여성들을 위한 영어 성경공부를 인도했고, 주일학교 선생님과 청년부 그룹에 소속되어 사역을 했다.

그때 당시 브리즈번에서 공부하며 호주 교회에 참석하던 한국 청년 두어 명에게 기독교 교리를 가르쳤다. 이들 중 한 명과 좋은 친구가 되었고, 그 가족과의 교제도 나에게 즐거움이었다. 또한, 한국 학생들의 영어 어학시험 준비를 도와주기도 하였다. 그에 더하여 나는 꽤 많은 호주 교회에서 선교 사역에 대해서 말씀을 전했다.

1998년, 내 몸에 이식된 줄기세포는 짧은 시간 동안 차도가 보였지만 곧 바로 암이 재발했다. 내가 계속해서 치료를 받아야 했기 때문에, 한국에서도 계속해서 치료를 받을 수 있을 지를 알아보기 위해서1999년 다시 한국에 돌아왔다. 이후 의사의 진단에 따라 내가 한국에 돌아가서는 안 된다는 결정을 하게 되었다. 그래서 나는 2000년에 다시 한국에 돌아와 짐들을 분류해 일부는 호주로 보내고 나머지 짐들은 정리하였다. 나의 친구 헤이즐이 나와 함께 와서 그 일을 도와주어 고마웠다. 기독교 교육과 친구들과 다시 만났던 일은 매우 특별했고 그분들은 친절하게도 나를 위해서 송별회를 해 주었다.

내가 한국으로 돌아올 수 없었기 때문에, 나는 호주 OMF지부에서 기도 중보자를 일으키는 사역을 시작했다. 나의 역할은 기도 대상자들과 교회들을 방문하여 그들이 선교사역을 위해 계속 기도하도록 격려하는 일이었다.

영어 성경 공부 멤버들을 그 가족들과 함께 만났다. (2000년 초)

나는 시드니에 있는 한인교회들을 많이 방문할 기회가 여러 번 있었다. 그때 선교사들을 위해서 기도하도록 권면하고 매일 성경을 묵상하고 기도하는 경건생활을 어떻게 하는지 말씀을 나누었다. 내가 한국에 있었을 때 신학생이었던 친구들이 목회자가 되어 다시 재회하는 기쁨은 이루 말할 수 없었다. 또한 나는 시드니에서 몇몇의 한인 사모님들과 모임을 가졌다. 2000년 11월, 시드니에서 한국OMF 김사라(김미현) 선교사의 졸업식에 참석할 수 있어서 매우 기뻤다. 사라는 일본 선교를 준비하기 위해서 시드니 선교 성경대학에서 공부하였고, 지금도 계속 일본에서 섬기고 있다.

2001년 3월, 뉴질랜드를 방문하게 되어 좋았다. 내가 1971~73년 뉴질랜드의 성경대학에 다녔기 때문에, 오래간만에 그곳의 친구들과 후원자들을 만나게 되어 감사하고 기뻤다. 오클랜드와 크라이스트처치에 있는 한인교회에서 말씀을 전했고 한국 친구들을 만날 수 있어서 나에게 격려가 되었다.

2003년 시드니 한인 중앙 장로교회에서 영어예배 신자들을 위해서 사역해 달라는 요청이 있었기 때문에 나는 시드니로 거주지를 옮겼다. 2년 동안 그 일을 했는데, 한국의 젊은 2세대들과 함께 일할 수 있어서 기뻤다. 그들 중 많은 이들이 친한 동역자로 남아있다. 중앙교회 여자 집사님들과 또 다른 사모님들과 한국어 성경공부 모임을 했는데 매우 즐거운 일이었다. 이 기간 동안 계속해서 OMF의 기도 사역을 파트타임으로 했고 그 일을 시드니에서 2011년까지 했다. 시드니에 있는 동안에 몇 군데 한인교회에서 말씀을 전하기도 했지만, 내가 제일 초점을 맞추었던 사역은 매달 사모님들과 하던 한국어 성경공부였다. -나는 그들의 우정과 지원에 매우 감사하고 있다.

2003년 한국을 방문했는데 내 동생 캐시가 나와 동행해 주었다. 많은 한국 친구들을 만날 수 있게 되어 너무나 기뻤고, 그들 중에서 환갑을 맞이하는 친구도 축하해 줄 수 있어서 또한 즐거웠다. 그리고 나서 2008년, 나는 한 집회*에 참석하기 위해 한국으로 돌아왔다. (*북한 사역 관련 컨퍼런스로 그 다음 해에 호주가 주관하게 되어 있었다. -역주) 그곳에 있는 동안, 나는 다리가 부러져 결국 부산에 있는 고신 의료원에 입원하게 되었다. 치료를 잘 받을 수 있어서 감사했고, 그 기간 동안 부산에 있는 친구들로부터 대단한 돌봄과 지원을 받아서 얼마나 감사했는지 모른다.

2011년 말, 나는 OMF를 은퇴하고 퀸즐랜드로 돌아갔다. 나는 성경공부와 중보기도 그룹을 인도하고 있고, 또한 여기 브리즈번에 있는 한국 친구들과의 지속적인 교제도 즐기고 있다.

이 글을 쓰기 위해서, 내가 보냈던 기도편지들을 다시 읽었을 때, 나는 하나님께서 나를 한국으로 인도해주신 것과 모든 순간 그분께서 나를 이끌어 주신 신실하심에 감사했다. 나는 한국에서 여러 방면에 걸쳐서 하나

OMF 수지 사무실 환송회

님의 신실하심을 경험했다. 그중에서도, 성경을 통해서 나에게 말씀해 주시고 나와 함께 해 주신 하나님을 제외하고, 하나님께서 나에게 주셨던 가장 귀한 선물은 친구와 동료들이었다. 내 삶에 특별한 역할을 해주었던 여러분 한 사람 한 사람 모두에게 마음속 깊이 진심을 담아 감사의 말을 전하고 싶다.

세실리 모어를 추억하며

친구, 동료들의 글과 사진

내가 아는 모신희 선교사

이상규: 고신대학교 역사신학 교수

만남

내가 모신희 선교사를 처음 만난 것은 1978년이었으니 꼭 37년 전이다. 육군에서 전역한 나는 다시 고려신학대학원에 복학을 했고, 학교로 가는 버스 안에서 한 외국인 여성을 만나게 되었다. 오랜만에 외국인을 만나게 되었으니 영어 말하기 연습이라도 해야겠다는 생각이 들어 서툰 영어로 말을 걸었다. 어디까지 가느냐고 했더니 송도의 복음병원으로 간다고 했다. 언어 말고 한국에서 가장 불편한 것이 무엇이냐고 했더니 역시 언어가 제일 불편하다고 했다. 이런 저런 이야기로 대화하다가 우리는 송도의 복음병원 앞에서 함께 내렸다. 그는 병원으로, 나는 병원 옆에 있던 학교로 갔다. 이것이 나와 모신희 선교사와의 첫 만남이었다. 이때가 아마도 1978년 5월이었을 것이다. 이 우연찮게 시작된 우리의 만남은 오늘까지 계속되고 있고, 그와의 만남은 오늘의 나를 있게 하는데도 적지 않는 영향을 끼쳤다. 소소한 것은 그만 두고라도 우선 내가 호주 땅 멜버른에서 유학하게 된 것도 그의 도움을 입은 바 크고, 또 부족하지만 박사학위를 얻게 된 것도 그의 후원에 힘입은 바 크다. 2002년과 2003년 시드니중앙장로교회에서 임시 담임목사로 일할 수 있게 된 것도 호주 땅에서 공부하고 생활했던 연유라고 생각한다면 모 선교사와의 만남이 가져온 결과라고 할 수 있다. 무엇보다도 그를 통해 기독교적 삶의 이상을 보고 배우게 되었으니 우리의 앉고 일어섬을 누가 우연이라 하겠는가? 순간순간이 하나님의 선하신 인도의 결과였다. 어거스틴이 말했다고 하는 "유한한 인간은 무한하신 자를 헤아릴 수 없다(finitum non est capax infiniti)."는 말이 생각났다.

버스 안에서 처음 만났을 때는 서로의 신분을 알지 못하고 인사만 나누고 헤어졌으나 하나님은 그 후 간간히 만날 기회를 주시더니 1981년에는 같은 교회서 일하게 하셨다. 신학대학원을 졸업한 후 나는 부산 거제교회에서 2년간 봉사한 후 1981년 1월부터 부산 삼일교회 대학부 담당 전도사로 일하게 되었는데, 당시 모신희 선교사는 대학부 협동사역자로 나와 함께 일하게 되었다. 우리는 매주일 만나고 함께 학생을 가르치고, 함께 수련회를 인도하고, 함께 하기봉사도 가는 등 깊이 교제하게 되었다.

나는 다시 신학석사(ThM) 과정을 마치고 1982년부터 고신대학교에서 강의하게 되었는데, 그 때 모선교사는 영어성경(English Bible) 강사로 출강하게 되어 그 때도 우리는 같은 연구실에서 일하게 되었다. 그래서 나는 약 6년간 교회와 학교에서 그를 만나게 되었고, 그 후 오랫동안 가까이에서 그를 접하면서 그의 신앙과 인격, 그리고 그의 주님 사랑과 한국 사랑을 보게 되었다.

삼일교회에서 함께 사역할 당시 이상규 가족

한국에서의 사역

세실리 모어(Cecily G. Moar, 1944~)라는 영어 이름보다 모신희라는 한국 이름으로 더 익숙한 그가 OMF 선교사로 한국에 도착한 때는 1974년 8월 16일이었다.

퀸즈랜드 주 투움바(Toowoomba)라는 농촌에서 태어난 그가 주일학교 다닐 때 선교의 이상을 가지게 되었고, 그 이상을 따라 간호사 일을 그만 두고 뉴질랜드 바이블 칼리지에서 공부한 후 한국으로 오게 된 것이다. 이때부터 1996년 7월 내키지 않는 발걸음으로 한국을 떠나기까지 미혼의 몸으로 22년간 한국에 사역했다. 그가 OMF 신임선교사 교육과 행정 업무 등으로 서울에서 근무한 일도 있으나 그는 주로 부산에서 활동했다.

가는 곳마다 지역 교회를 섬기며 이런저런 활동을 했으나, 내가 알기로 그의 가장 주된 사역은 성경공부 인도와 양육이었다. 그는 교회에서 그리고 자신이 사는 아파트에서 한국어 성경공부반과 영어 성경공부반을 운용하며 개인 접촉을 통해 그리스도에게까지 자라도록 양육하는 일에 힘을 쏟았다. 그래서 그가 살던 부산시 동구 수정동의 덕림아파트는 우리에게 익숙한 말씀의 집이었다. 라틴어 걸음마를 공부하던 나는 그때 덕림아파트를 '도무스 에클레지에'(domus ecclesiae), 곧 '가정교회' 혹은 '교회의 집'이라고 불렀다. 그의 성경공부 지도는 본문의 뜻을 밝히 드러내는 깊숙한 맛이 있었고, 공부를 많이 한 이들이나 아직 어린 학생들에게 똑같이 감동을 주었다. 내가 지금 생각해 봐도 그의 성경공부에는 조용하면서도 마음에 진한 감동을 주는 은혜가 있었다. 이것은 그가 일상의 삶 속에서 말씀을 깊이 묵상한 결과라고 생각한다.

목회자 사모 성경공부팀

모선교사님은 여러 그룹들에게 성경을 가르쳤으나 특히 목사부인 성경공부반을 조직하고 매주일 이들에게 성경공부를 인도한 일은 목회자들에게 좋은 영향을 주었다.

그가 한국에 왔을 때인 1970년대는 아직 한국교회가 성경에 대한 체계적인 읽기나 말씀묵상(QT)이 일반화되기 전이었다. 그는 성서 유니온과 관련하여 말씀묵상 운동을 전개하였다. 그 당시는 성서유니온이 발행하는 '매일성경'이 유일한 묵상 교재였다. 그는 교회에서는 물론이지만 여러 모임에서 QT에 대한 강의와 나눔을 강조하였다. 그 때는 QT를 이름 그대로 '조용한 시간'이라고 불렀는데 "어떻게 조용한 시간을 가질 것인가?"하는 것은 그의 강의의 주제였다. 공정하게 평가해 볼 때 한국교회, 적어도 그가 주로 활동했던 부산 경남지역과 서울 등지에서 말씀묵상운동이 일어난 것은 그가 남긴 공헌이라고 할 수 있다. 목회자의 길을 가고 있던 나에게 아직도 잊혀지지 않는 한 가지는 "설교하기 위해서 성경을 읽고 묵상할 것이 아니라, 자신의 영적 유익을 위해 성경을 읽고 묵상해야 한다"는 그의 지적이었다.

1986년 이후 얼마간 그가 서울에서 지낸 동안은 OMF의 일 외에도 장로교회(고신) 총회교육위원회 협동간사로 교회교육 분야에서 일하며 한국어로 원고를 집필하며 시청각 교재개발에 참여하며 신앙교육 분야에도 기여하였다. 1994년 이후에는 다시 서울로 옮겨가 일하게 되었는데, 이때는 고신교단 교회인 잠실중앙교회 협력 선교사로 일하시면서 OMF 일 외에도 성경공부나 양육을 위해 봉사하셨다. 이런 모든 일들은 알게 모르게 한국교회 강단에 변화를 주고, 그 주변의 사람들에게 감동을 주었고, 구체적인 삶의 변화를 가져왔다.

모신희 선교사는 자신을 모윤숙 모(毛)씨라고 소개할 만큼 한국적이 되었고, 한국음식을 즐겨했으며 된장이나 김치찌개를 드실 때는 우리처럼 탕 한 그릇을 앞에 두고 같이 먹을 만큼 자신을 한국인과 동일시했다. 그는 정서적으로 외국인이라고 느끼지 못할 만큼 우리와 똑 같이 생활했다. 그러했기에 한국인의 문화와 살림살이를 이해하게 되었고, 우리 가슴 속에 응어리진 가난과 고난의 계곡을 헤아려 보는 연민의 정이 있었다. 그런 점 때문에 그는 우리의 누나 혹은 언니였고, 마음의 친구이자 동료로써 주변의 사람들로부터 진실한 사랑과 존경을 받았다.

호주유학과 호주 생활

나는 그의 도움으로 호주 멜버른에서 유학 하게 되었다. 처음에는 미국이나 스코틀랜드로 갈까 아니면 독일어권으로 갈까를 두고 고심했었는데, 그는 호주장로교회가 운영하는 멜버른의 장로교신학대학을 소개해 주었고 그곳 인사들과 접촉할 수 있는 길을 안내해 주었다. 그 덕분에 나는 멜버른의 장로교신학대학으로 가게 되었고, 유학 가는 우리를 위해 여러가지로 안내를 해 주셨다. 특히 서리 힐스(Surrey Hills)라는 곳에 살고 있던 킹슬레이 쉐클톤(Kingsley Shekleton)이라는 할아버지를 소개해 주었는데, 그는 호주 OMF 멜버른 지부의 기도후원자였다. 그는 우리를 위해서도 든든한 기도의 후원자가 되었다. 내가 유학 중이던 1987

호주 유학 중. 멜버른에서(1987년)

호주 유학 중 멜버른에서(1987년), 박노윤 청년
(해양대졸, 현 호주 성공회 선원선교회 대표)

년 12월 호주를 방문하셨던 모 선교사님은 멜버른까지 오셨고, 학교 관계자들도 만나시고 나를 배려해 주셨다. 당시 내가 관계하던 한인모임에서 설교와 성경 공부도 인도해 주셨다. 그날이 1987년 12월 20일이었다. 거의 30년 전의 일이다.

학위논문을 작성할 때도 도움을 주셨다. 모든 것이 시원치 못해 쩔쩔매던 나에게 격려를 아끼지 않으셨고 서툰 영어를 고쳐주시기도 했다. 그 덕분에 나는 학위를 얻게 된 것이다. 그 때 연구한 나의 호주장로교회의 한국선교 역사는 호주 빅토리아장로교(The Presbyterian Church of Victoria) 설립 150주년을 기념하여 2009년 단행본으로 출판되었는데, 서문을 쓰면서 모선교사님의 사랑과 후원에 대해 언급하지 못했다. 급하게 쓰다 보니 책 출판에 관여한 호주장로교 인사들에 대해서는 언급했으나 선교사님의 사랑과 도움에 대해 언급한지 못한 것이다. 나의 불찰이었다. 이 점이 늘 죄송하고 송구했다. 어떻든 내가 호주에서 공부하고 생활할 수 있었던 것은 따지고 보면 선교사님의 배려의 결과였다.

내키지 않는 출국

1994년은 모신희 선교사님의 한국선교 20주년이 되는 해였다. 나는 삼일교회 집사였던 김신 판사(현 대법관), 김민철 의사(현 일신병원 내과과장) 등과 의논하고 1994년 8월 30일, 부산 삼일교회당에서 '모신희 선교사 한국선교 20주년 기념 축하회'를 개최했다. 삼일교회 담임이셨던 이금도 목사님께 설교를 부탁하고 의사이자 장로이며 모 선교사님과 교우하신 김상순, 정태산, 정현기 장로에게 축사를 부탁했다. 당시 삼일교회 담임이셨던 하병국 목사님은 축도를, 정은자 권사는 축시를 낭독해 주셨고, 늘빛어머니 중찬단은 축가를 불러주었다. 이때 우리는 그가 한국에 오래 남아주시기를 간절히 요청하였다. 그의 유창한 한국어, 한국에 대한 폭넓은 이해, 한국에 대한 애정, 그 모든 것이 우리에게는 소중했기 때문이다.

그러나 2년 후 그에게 골수암이 발견되었고, 병고는 그의 귀국을 재촉했다. 그는 한국에서 여생을 마치기를 원했으나 예견치 못한 일이었다. 할 수없이 그는 가까운 친구, 동료, 교회식구들을 뒤로하고 치료차 한국을 떠났다. 그 때

모신희 선교사
한국선교 20주년 기념 축하회

Commemoration
of
the Missionary Work
of
Miss Cecily Moar,
our beloved friend
who
Worked for twenty years from 1974 to 1994
in
Kprea
with
Love and care to whom she associated.

부산삼일교회당
Samil Presbyterian Church

일시
1994. 8. 30(화)
6: 30 PM.

선교 사역 20주년 기념식 순서지

가 1996년 11월 말이었다. 그와 가까이 지냈던 친구들은 부산역에서 석별의 아쉬움을 나누며 다시 한국에서 일해주기를 바랐다. 그의 심중에는 다시 한국으로 돌아가기를 소망했을 것이다. 그러나 그의 건강은 그의 의지를 담보해 주지 못했다. 그는 호주에서 일하도록 부르시는 하나님의 부르심을 새로운 소명으로 받아들이고 호주에 남게 된 것이다. 때로 그의 치료 과정과 건강에 대한 소식을 나누던 우리는 그를 위해 기도하기로 하고 부산 삼일교회당에서 일주일에 한번 씩 모여 정기적인 기도모임을 갖기도 했다. 이 모든 것은 그에 대한 우리의 사랑이자, 그가 남긴 믿음의 유산들에 대한 고마움의 표현이기도 했다.

주의 인자가 생명보다

그가 호주에서 치료받던 중 한국을 방문한 일이 있다. 그 때 영도 동삼동에 있는 우리 집 아파트에서 환영모임을 가진 일이 있었다. 우리가 말씀을 청하자 그는 사양했다. 그러나 그냥 헤어지기는 아쉬워 거듭 말씀을 청하자 그는 시편 63편 3절, "주의 인자가 생명보다 나으므로 내 입술이 주를 찬양할 것이라"는 본문으로 말씀하시면서 우리가 육신의 생명에 매달리지만 주의 인자, 곧 하나님의 사랑은 우리 생명보다 귀하다고 하신 말씀은 정말 잊지 못할 감동이었다. 비록 한국으로 다시 돌아오지 못했으나 그는 호주의 브리스번과 시드니에서 한인교회를 섬기며 변함없이 한국인들을 위한 영혼의 교사로 봉사하셨다.

그런데 나는 시드니에서 다시 선교사님을 만나게 되었다. 2002년 나

호주서 치료 중 잠시 귀국했을 때, 모 선교사님을 잘 아는 친구들을 초청했다. 이때 '주의 인자가 생명보다 낫다'는 감동적인 말씀을 들었다.

는 학교에서 연구년을 얻어 시드니로 가게 되었고, 시드니중앙장로교회 임시 담임목회자로 2003년까지 일하게 되었다. 이 때 마침 모 선교사님은 OMF 사역을 돕기 위해 시드니로 오게 되셨고, 일정 기간 내가 담임목사로 있던 시드니중앙장로교회 영어예배 책임자로 봉사해 주셨다. 그 외에도 시드니의 한인교회를 위해 봉사하셨고, 성경 공부도 인도해 주셨다. 그의 유창한 한국어는 사람들을 놀라게 했다. 그가 교인들에게 유창한 한국어로 인사했을 때 회중가운데서 '와' 하는 탄성이 터졌다. 그의 가르침이나 설교는 언제나 잔잔한 감동을 주었고, 그의 삶은 그리스도인의 삶의 이상을 보여주었다. 그때 나는 메쿼리대학교 고대문헌연구소에서 공부하는 한편, 담임목회까지 겸하고 있어 같은 시드니에 살면서도 자주 만나지 못한 점은 지금 생각하면 아쉽고 송구할 뿐이다. 나는 2004년 1월 한국으로 돌아왔고 그 후 10여년 동안 교류도 통신도 못하고 살았으니 죄송하고 송구할 뿐이다.

2008년 6월에는 고신교회 총회기관인 교육위원회의 나삼진 목사와 함께 모 선교사님 기념 문집을 제작하기로 하고 준비했고 나는 서문까지 써 두었지만 몇 가지 우리 사정으로 아직까지 일을 추진하지 못하고 있다. 마침 최태희 권사님을 중심으로 이런 문집을 제작하게 되었으니 얼마나 고마운지 이 자리를 빌어 감사를 드린다.

하나님의 신실하심과 같이

그 동안 내가 모선교사님을 대하면서 느낀 점 몇 가지를 정리해 두고자 한다. 우선 그는 변함없이 신실한 분이라는 점이다. 10년 전이나 20년 전이나 지금이나 신실함에는 변함이 없으시다. 그가 언제나 하나님의 신실하심(faithfulness)을 자랑하고 증거하는 것을 보면, 하나님의 신실하심을 몸으로 체득한 것 같다. 또 그에게는 영혼에 대한 애정이 깊었다. 삼일교회 대학부를 위해 함께 일할 때의 일이다. 단 한번 교회에 출석했던 학생의 어머니가 세상을 떠났는데 나는 대수롭지 않게 여겼다. 그러나 그는 밤늦은 시간에 병원으로 찾아가 위로하고 그가 믿음으로 살도록 권면한 일을 보고 나 자신을 부끄럽게 생각한 일이 있다. 그는 개인 접촉을 중시했고, 한 사람 한 사람을 그리스도의 장성한 분량으로 세워가려는 영적 열

망이 있었다. 대학부에서는 여름이면 하기 봉사라는 이름으로 경남지방의 농촌을 찾아다녔는데 우리는 해마다 다른 곳으로 가길 원했다. 하기 봉사라는 이름으로 이곳저곳 다니며 구경하려는 숨은 동기가 없지 않았다. 그러나 그는 다음해에도 같은 곳으로 가는 것이 좋겠다고 제안했다. 씨만 뿌려두고 무관심했던 우리들에게 다시 가서 양육해야 할 책임을 일깨워 준 일은 지금도 잊혀지지 않는다.

그에게는 진정으로 하나님을 사랑하고 주님을 사랑하는 마음이 있었기에 그는 늘 그런 모습으로 살았다. 짧은 기간 진실할 수는 있으나 언제나 진실하기는 어려운 것이 우리의 모습인데 그에게는 삶의 진실함이 몸에 베여있었다.

모신희 선교사는 하나님의 뜻이 무엇인가에 민감했다. 무슨 일이 생기면 그것이 나에게 어떤 유익이 있을 것인가를 생각하지 않고, 우선 하나님이 원하시는 일이 무엇일가에 관심을 쏟았다. 무슨 의견을 말하면 "하나님의 뜻이 무엇인가 생각해 봐야지요." "하나님이 원하시는 것이 무엇인지?" 이것이 그의 대답이었다. 그 유창하면서도 독특한 어투가 내 뇌리에 깊이 자리하고 있다. 특히 "하나님이 원하시는 것"이라고 말할 때 "원하시는"에는 엑센트가 강했다.

또 한 가지, 모선교사님은 한국적인 예모에 익숙해 있었고 진정으로 한국과 한국인을 사랑했고 한국교회를 사랑했다. 내가 「월간 고신」의 편집위원으로 있을 때 "외국인이 본 한국교회"라는 매뉴얼로 한국교회의 문제를 지적한 글을 연제한 일이 있다. 이때 나는 모 선교사님에게도 원고를 청했

모신희 선교사와 함께 했던 하기봉사 농촌풍경

으나 그는 끝내 사양했다. 한국교회의 문제를 보고 알고 계셨겠지만 비판하기 보다는 한국교회에 대해서도 애정으로 이해하려했던 그의 일면을 보여 준다. 나는 그가 다른 사람에 대하여 부정적으로 말하거나 비판하는 말을 단 한 번도 들어보지 못했다. 또 나는 그가 화를 내거나 찌푸린 인상을 본 일이 없다. 내가 보지 못한 곳에서 화를 내거니 역정을 부린 일이 있는지는 알 수 없으나, 그는 언제나 그리스도인답게 살았고, 아름다운 그리스도인의 모습을 보여 주었다. 그의 얼굴에 비친 영혼의 호수는 명경지수(明鏡止水)였다.

모신희 선교사와 이상규 가족

그러했기에 그는 주변의 사람들, 그를 만나고 접촉했던 사람에게 선한 영향을 주었고 마음으로부터의 존경을 받았다. 모신희 선교사님은 "주의 인자가 (자신의) 생명보다 나으므로 내 입술이 주를 찬양할 것이라"는 말씀으로 일생을 사셨는데 감사하게도 골수암은 완치되었고, 은퇴를 모르는 봉사의 길을 가고 있다. 나는 그가 더 건강하고 오래 오래 살아계셨으면 좋겠다. 그가 베풀어주신 사랑과 은혜에도 불구하고 예를 갖추지 못한 점에 대해서는 이 자리를 빌어 사과하고 용서를 빈다.

지금도 선교사님을 생각하면

정현기 · 오정섭:
전 고신대 총장/ 현 세계로 병원 원장 · 신라대학 교수

모 선교사님이 인도하시던 토요일 오후 영어 성경공부에 참석하기 시작한 것은 83년 가을쯤부터 서울로 사역지를 옮겨가실때까지니 한 10년 이상 지속된 것으로 기억된다.

선교 사역 20주년 기념식에서

지금도 선교사님을 생각하면 초량에 있던 비탈길을 한참 올라가면 나오는, 엘리베이터도 없는 덕림아파트 5층 꼭대기에 사시면서 하루에도 몇 번씩 연탄을 갈아야 하는 연탄 보일러로 난방을 하면서 고생하시던 것, 된장과 김치를 반찬 삼아 한국식으로 밥을 잡수시던 모습, 우리 말을 너무 잘 하셔서 영어를 빠르게 쓰시는 것이 오히려 어색해 보이던 모습 등이 제일 먼저 생각이 난다.

하루는 박 선생님이라는 분이 성경공부에 참석하였다. 그는 가정의 평화를 위해서 참석하였다고 하였다. 부인 되는 집사님이 하도 성경공부가 좋으니까 한 번 참석 해 보자고 졸라서 마지못해 왔다는 것이었다. 박 선생님은 성격도 시원시원하고 생긴 모습도 남자다워서 이런 의리 있고 듬직한 분이 예수를 믿으면 얼마나 좋을까 하는 바램을 우리 모두 갖고 있었다. 박 선생님도 성경공부를 할수록 예수 믿는 것이 좋은 것은 알겠는데 도무지 마음 속에 확신이 오지를 않아서 안타깝다고 하였다. 하루는 바울이 다메섹으로 가다가 예수님을 만나서 거꾸러지는 본문을 공부할 때였다. 그때 박 선생님은 나도 바울처럼 쇼크 요법을 받아서 예수님을 확실하게 믿게 되었으면 좋겠다고 하였다.

우리가 보기에도 박 선생님에게 조금씩 신앙이 들어가는 조짐이 보일 때였다. 그 즈음에 박 선생님이 시골 길에 운전을 하고 가시다가 갑자기 자전거를 타고 골목에서 나온 아이들을 피하지 못해 교통사고를 내어 구속이 되고 말았다. 그 사건 때문에 모 선교사님이 얼마나 마음 아파하셨는지 모른다. 조금만 있으면 곧 예수님을 영접하였을 터인데 사탄이 그것을 싫어해서 방해 공작을 한 것 같으니 열심히 기도하자고 하셨다. 뿌려진 복음의 씨앗을 사탄이 먹어 버리지 않도록 특별 기도를 부탁하셨다. 몇 달 동안 박 선생님이 구속되어 있을 동안에 우리도 열심히 기도했지만 모 선교사님께서도 얼마나 열심히 기도하셨는지 모른다. 마지막 선고 공판을 앞두고서는 며칠간 식음을 전폐하고 목자가 양떼를 위하여 자기 목숨을 버림 같이 온 정성을 쏟아서 기도하셔서 얼굴이 아주 수척해보이던 기억이 난다.

기적적으로 박 선생님은 석방이 되셨는데, 우리는 그 동안을 어떻게 지냈는지 물어 보았다. 박 선생님 말씀은 오후에 한 시간 정도 자유 시간이 주어지는데 그 시간만을 기다렸다고 한다. 그리고 그 자유 시간이 오면 미친 듯이 성경을 읽었다고 한다. 마치 스펀지가 물을 빨아 들이듯이 말씀을 빨아들이고 그 말씀을 붙들고 살았다고 한다. 박 선생님이 평소에 말하던 소원대로 갑자기 마음이 뒤집어져서 예수님을 구주로 영접하게 되었던 것이다. 바울에게 나타나셨던 그 하나님이 박 선생님에게도 나타나셔서 예수님을 영접하도록 역사하셨던 것이다. 우리는 그가 신자가 된 것도 기뻤지만 우리의 기도가 응답되었다는 사실에도 감격하였다.

그 후 박 선생님은 집사가 되었고, 모 선교사님이 안식년으로 호주에 가셨던 1년 동안을 우리들의 성경공부를 위해서 자기 집을 개방하였다. 이제 그는 교회의 어엿한 장로가 되었으며 충성된 일꾼으로 주의 몸된 교회를 섬길 뿐만 아니라 하나님의 나라 확장을 위해서 애쓰고 있다. 한 영혼이 주님 앞에 돌아오기 까지는 목자의 간절한 기도와 눈물이 그 배후에 있었던 좋은 예로 여겨진다. 하나님은 신실한 종의 기도를 반드시 응답해 주시는 좋으신 분이시다.

우리 부부는 모선교사님을 통해서 성경공부의 진수를 배웠다. 하지만 그렇게 성경공부를 하면서도 언젠가는 하나님께서 우리도 성경공부 인도자로 부르실 것이라는 것도 모른채 성경공부가 미냥 좋고 선교사님의 인품에 감동이 되어 세월이 가는 줄도 모르고 재미있게 보냈다. 나중에 교회 성경공부 인도자가 되고 난 뒤 선교사님께 공부할 때 좀더 열심히 하지 못한 것이 후회가 된다고 말씀드렸을 때 빙그레 웃으시던 모습이 지금도 눈에 선하다. 선교사님을 통해서 선교가 무엇이며 선교사의 삶이 어떠해야

정현기 오정섭 가족사진

하는지도 배웠다. 그래서 그때 멤버 중에는 선교사로 나가신 분도 계시고 각계 각층에서 나름대로 주의 일에 헌신하시는 분 들이 더러 계신다. 이처럼 좋은 선교사님을 한국에 보내주셔서 우리를 준비시키신 하나님을 생각할 때마다 "나의 나된 것은 하나님의 은혜로라"는 바울의 고백이 새삼 나의 고백으로 다가온다.

이제 선교사님이 선교사로서의 37년의 사역을 마치신다고 하니 건강상의 문제로 한국을 떠나호주로 돌아가실 때도 그러했지만, 무척이나 아쉽고 감회가 새롭다. 인간적으로는 섭섭하지만 좋으신 하나님이 그간의 여종의 수고와 헌신을 기쁘게 받으셨을 것으로 생각된다. 그동안 몇 번 감사하다는 말씀을 드릴 기회가 있었지만 이 지면을 빌어서 다시 한 번 한국에서의 수고에 대해 감사하다는 말씀을 다시 드리고 싶다. 부디 주님께서 부르시는 그날까지 지력을 잃지 않고 강건하시기를 기도한다.

믿음의 어머니 모 선생님

양승봉 (V국 사역)

모 선생님은 1974년 한국에 오신 이후 서울에서 한국어를 배우신 다음에, 1976년 부산으로 배치를 받아 오셨고, OMF의 선교 정책에 따라 출석 교회를 부산 삼일교회로 정하고 삼일교회의 교인이 되셨다. 그리고 16년 동안 삼일교회에 다니시며 우리 교회를 중심으로 선교 사역을 하셨다. 삼일교회는 우리 부모님이 다니시던 교회이기도 하고, 내가 어머니 태에 있을 때부터 다니던 교회이며, 우리 가정을 선교사로 파송한 교회이기도 하다.

베스트셀러가 되었던 양승봉 선교사 저서. 양 선교사는 이태석 봉사상도 수상하였다.

1976년 부산대학교 의예과 1학년이었던 나는 12월 성탄절이 되기 전에 대학부 선배에게 이끌리어 부산 영주동 터널 위에 있는 모 선생님 댁을 방문하였다. 6.25 전쟁 당시 가파른 언덕에 피난민들이 모여 살던 동네였다. 숨이 턱턱 맞도록 계단을 한참 걸어올라 가서야 집에 겨우 도달 할 수 있었다. 당시 나는 20세 안팎, 모 선생님은 30세 안팎의 나이였던 것 같다. 모 선생님은 삼일교회 대학부, 청년부를 꾸준히 도우셨으며, 교인들에게 매일 성경을 읽고, 묵상 생활을 하도록 도우셨다. 우리 교회에서 선교사라고 특별히 우대를 해 드린 것도 없는 것 같은데, 16년간 꾸준히 삼일교회에 출석하시면서 사람들을 한 사람 한 사람 돌보아 주셨던 것 같다.

늘 자신의 집을 사랑방으로 개방하여 많은 젊은 사람들이 오도록 하였으며, 영어로, 한국어로 다양한 그룹의 성경공부를 인도하셨다. 한 때 물어보니 성경공부 그룹이 13그룹이나 된다고 하였다. 모 선생님은 성경 묵상하는 방식으로 성경공부 교제를 직접 만들어 사용을 하셨다.

1980년 12월 성탄절이 다가오자 교회의 대학부 학생들을 자신의 집으로 식사 초대를 하였는데, 나는 우리 교회 대학부에 처음 나오기 시작한 한 자매(당시 이화여대 특수교육과 1학년)를 이 모임에 참석하도록 하였다. 식사를 마친 뒤 모 선생님의 제안으로 나를 포함한 몇 명의 남학생이 부엌에서 설거지를 하였다. 설거지를 하면서 거실에서 나누는 대화에 귀를 귀울였는데, 상당히 식견이 있는 대화가 내가 초대한 자매에게서 나오고 있었다. 모임이 끝난 뒤 이 자매의 집 근처까지 바래다주게 되었고, 약 2개월 뒤에 이 자매를 개인적으로 다시 만나게 되었다. 그 뒤 약 한 달은 거의 매일 같이 만나게 되었다. 이 자매는 방학이 마치기까지 모 선생님을 몇 번 더 만나게 되었고, 매일 성경을 선물로 받았으며, 매일 말씀 묵상하는 방법을 배우고 서울로 가게 되었다. 나는 이 자매를 서울 서문교회 대학부에 소개를 하였으며, 한국대학생선교회(IVF)에 소개하여 신앙생활을 시작하도록 도왔다. 그리고 자매는 매일 성경을 묵상하며 기도하던 중 주님을 만나게 되었다. 1년 뒤 방학이 되어 다시 부산에서 모 선생님을 만나게 되었는데 모 선생님이 축하의 말씀을 해 주셨다. "경희가 예수를 믿는 사람이 되었구나!" 이 자매는 나와 4년을 교제한 뒤에 나의 아내가 된 신경희이다. 나의 아내 신경희는 지금까지 모 선생님을 믿음의 어머니로 모시고 있다.

의과대학을 졸업하고, 부산복음병원 인턴으로 일하고 있을 때, 모 선생님은 병원 바로 옆에 있던 고신신학대학원에 영어를 강의하러 오셨다. 친구 박상은과 나는 모 선생님을 모시고 점심시간에 인턴 숙소에서 인턴 성경공부를 하였다. 물론 예수 안 믿는 친구들도 초대하였다. 레지던트가 되어서는 더 큰 그룹으로 성경공부를 하였다.

모 선생님은 우리가 결혼한 후에 우리가 가는 곳마다 일부러 시간을 만들어 찾아 오셨다. 군의관이 되어 강원도 인제에 근무할 때에 인제까지 찾아와 주셨다. 부산에서 오려면 꼬박 하루가 더 걸리는 먼 길을 큰아이 진모와 놀아줄 거리를 잔뜩 들고 오셔서 진모와 놀아 주셨다. 우리가 군의관으로 대전에 근무할 때에도 일부러 찾아 오셔서 우리 집에서 하루 밤을 지내시고, 아이들과 함께 시간을 보내어 주셨다. 군 제대 후에 김해에 살 때에도 일부러 찾아 오셔서 하루 밤을 같이 보내시고, 아이들을 즐겁게 해 주셨다. 뿐만 아니라 우리 가정이 뉴질랜드에서 선교 훈련을 받고 있을 때에도 찾아오셔서 며칠을 같이 머물며 우리를 돌보아 주셨고, 아이들에게 책을 읽어 주셨다.

우리가 네팔에 갔을 때에도 찾아오실 계획이 있으셨는데, 당신이 혈액 종양이 발견되어 본국으로 돌아가서 치료를 받으셔야 했기 때문에 네팔에는 아쉽게 오지 못하셨다.

우리 가정을 위해 꼭 잊지 않고 기도해 주시는 몇 분이 계신데, 그 중에 한 분이 모 선생님이시다. 내가 아는 모 선생님은 우리 가정뿐 아니고, 모 선생님 주변에서 생활했던 많은 사람들을 한 사람 한 사람 돌보고, 기도하고 계시다고 믿는다. 모 선생님은 우리가 선교사로 살아가는데 본받아야 할 좋은 모델로 생각하고 있다.

모 선생님은 한국에 계시면서 늘 한국의 서민들이 사는 연립 주택이나 아파트에 사셨다. 늘 대중교통을 이용하거나, 걸어 다니셨다. 부유한 나라 호주에서 가난한 나라 한국으로 오셔서 한국 서민들의 생활수준으로 사신 것이다. 우리는 네팔이나 베트남에 살면서 그렇게 서민적으로 살지 못한다. 모 선생님을 생각하면 죄송한 마음도 들지만 아직도 따라하지 못하고 있다. 모 선생님이 부자 나라에서 온 외국인이었지만 우리가 모 선생님에게서 경제적인 도움을 받을 생각은 한 번도 없었던 것 같다. 우리들보다 더 검소하게 사셨기 때문이리라. 우리도 선교지에서 가능하면 검소하게 살면 좋은데 쉬운 일은 아닌 것 같다.

모 선생님은 대중들 앞에 유창한 설교를 하거나, 큰 사업(Project)을 하지는 않으셨다. 대신 모 선생님은 한 사람 한 사람에게 관심과 사랑을 끝까지 주고 계신다. 선교사로서 이런 모습을 본 받으려 한다.

우리는 네팔로 갈 때 모 선생님이 만들어 사용하시던 성경공부 교재를 얻어서 갔다. 그 중에 누가복음을 네팔 말로 번역하여 네팔교회 식구들과 성경 공부하였다. 우리뿐만 아니고 교회 식구들 모두 이 성경공부를 즐거워했던 것 같다. 모 선생님이 한국에 계시는 동안 한국 성서유니온(SU)에서 발행 된 매일성경을 보급하고, 말씀 묵상 사역을 통하여 한국 성서유니온을 도우신 것처럼 우리 부부도 이제 막 태어난 베트남 성서유니온 사역을 도울 준비를 하고 있다. 한국 성서유니온이 많이 성장하여 많은 선교지의 성서유니온 사역을 돕고 있는데 내년부터 베트남을 구체적으로 도울 계획을 가지고 있다.

모 선생님 주변에서 그의 사랑을 받고 성장한 사람들 가운데 여러 명의 선교사가 있을 것으로 짐작한다. 우리 가정 뿐 아니라, 몽골에 선교사로 크게 쓰임 받는 이애리선교사와 인도에서 사역하고 있는 최병순선교사, 태국의 김주만선교사가 모 선생님의 각별한 사랑을 받고 성장한 선교사들로 기억이 된다. 모 선생님과는 기도편지와 이 메일을 주고받으며 서로 안부를 확인하고, 서로를 위해 기도하고 있다. 혈액 종양에 걸려 본국으로 돌아가셔야 했지만, 지금까지 치료를 잘 받고 계시며 작년에 완전히 은퇴하실 때까지 OMF 선교중보기도 사역자로, 한인 교역자 사모 성경 공부 인도자로 끝까지 완주하셨다.

내년에 안식년이 되면 우리 부부는 호주 퀸스타운으로 모 선생님을 꼭 찾아가 뵐 계획이다.

어머니로서의 모신희

신경희 (V국 사역)

모신희 선교사님을 내가 만나게 된 것은 1980년 친구의 전도로 부산 삼일교회 대학부를 나가게 되면서였다. 1980년 겨울 방학이 되어 부산 집에 내려와 있던 나는 친구의 권유로 교회를 다니기 시작했다. 교회라는 곳은 절대 가서는 안 된다는 교육을 철저히 받았던 나는 엄마의 눈을 피해, 어느 호주 여자분 집에서 하는 낯선 큐티 모임에 지금의 남편, 양승봉의 인도로 참석을 하게 되었다. 대학부 조장의 돌봄 겸 데이트 겸 덕분에 나는 생전 처음 외국인이 사는 집을 방문했다.

호주, 퀸즐랜드 출신으로 주일학교에서 한국에 관한 슬라이드를 보고 선교사가 되어 한국으로 갈 것이라고 결심했던 초등학생의 세실리(Cecily)는 간호대를 졸업하고 뉴질랜드 성경학교를 졸업함으로써 주일학교 때의 결심을 실행에 옮기고 있었다. 그 즈음 그녀 나이는 28세, 마침 교제하던 남자 친구가 있었으나 한국으로 선교사로 가겠다는 세실리에게 절교를 고한다. 사랑하던 남자 친구와의 결혼보다 어릴 때부터 사랑하고 품어 키워왔던 한국을 선택했다.

그녀는 내가 살고 자랐던 초량 가까운 곳에 살고 있었는데, 1980년 12월에 부산 산복도로 그녀 집을 방문함으로써 나랑 운명적으로 만나게 된 것이다. 결혼도 하지 않은 서양 여자가 가난한 사람들이 많이 살았던 산복도로 조그만 아파트에 살면서 한국 사람들을 초대해 장소를 제공했을 뿐 아니라, 다양한 먹거리도 제공하고, 무슨 책을 보며 노래도 부르고, 매일 성경 본문과 성경을 앞에 두고 각자의 삶을 나누는 모습이 내게는 신선한 충격이었고 그런 일들이 이 미혼 서양인 여성 집에서 이루어지고 있음도 생애 첫 경험이었다.

첫 인상, 감흥, 나에게 찾아온 생애 최대의 변화

어쨌든 그 날 방문의 영향으로 생전 성경을 읽어보지 못한 불교 집안 배경의 나는 매일성경으로 매일 큐티라는 것을 하게 되었다. 예수님도 하나님도 몰랐던 나는 단순히 그녀로부터 받은 새롭고 신선한 충격이 가실까 봐 추운 겨울 이층 방에 올라가 엄마 몰래, 그녀 집에서 본 대로 들은 대로 매일 정말 하루도 빠짐없이 말씀에 빠져 들었다. 그 방학 동안 나는 몇 번 더 금요일 큐티 나눔 모임에 참석하였다. 그렇게 시작한 말씀 묵상의 습관은 방학이 끝나 서울로 올라가 이대 앞의 내 자취방에서도 계속되었다.

그 이듬 해 1981년, 겨울 방학 때 당신 댁을 다시 찾아간 나에게 "경희야 축하해! 네가 그 사이 크리스천이 된 것 같아. 내가 널 위해 매일 기도했단다!" 81년 9월, 내 자취방에서 성경을 읽으며 나에게 찾아온 생애 최대의 변화, 나의 거듭남을 위해 나를 만난 그 이후부터 날마다 나를 위해 기도한 분이 있었구나. 그분의 기도 덕에 내가 뜨겁게 주님을 만날 수 있었구나. 그 때부터 난 이분을 나의 생명이 잉태되도록 하신 영적 어머니로 모셨다. 그 이후로 이분은 우리가 가는 곳마다 방문하셨다.

그 중 기억에 남는 것은, 1988년 우리가 강원도에서 군의관 생활을 하고 있을 때, 큰아이 진모가 소아습진에 헤르페스 이차 감염으로 위험한 상태로 부산 복음병원에 일주일 넘게 입원 치료를 받게 되었다. 둘째를 임신하여 입덧만으로도 고생이었는데, 인제에서 군 부대를 지켜야 하는 남편이 함께 진모를 돌보지 못했기에 나 혼자 그 모든 육체적인 어려움을 감당하고 있었다. 그 때 입원실에 나타나셔서 피곤에 지친 나를 집으로 보내시기 위해 교대로 오신 것이다. 입원 중인 진모를 위해 어린이용 성경 이야기책을 가져오셔서 진모에게는 재미나는 시간을, 나에게는 쉼을 제공해주셨다. 나와 진모는 그 당시 마치 강도 맞은 사람의 형편이었다. 그리 거창한 일로 보이지 않을지 몰라도 그 어떤 기도나 거룩한 수식어로 대체할 수 없는 사랑으로 우리를 방문하셔서 나와 진모를 도와주신 것이다.

선교사로서의 모신희

우리 부부가 선교사로 헌신하여 떠나는 결정을 하던 1992년에는 모신희 선교사님이 안식년으로 한국에 안 계셔서 우리가 어떻게 선교에 부르심을 받고, 준비하여 선교사로 헌신하였다는 것을 잘 모르셨던 것 같다. 나중 한국에 오셔서 우리를 만나서 '어떻게 선교를 준비하고 헌신해서 나가게 되었느냐?'고 물으셨다. 누가회 수련회에서 미국 의료선교사의 도전을 받고 하나님의 부르심과 공동체의 동의와 후원을 받는 등 그 동안의 하나님의 인도하심에 관해 나누었다. "나는 승봉이가 선교사가 되는 것은 기도 안했지만 단지 승봉이가 의사가 되면 가난한 사람들을 치료하는 의사가 되기를 기도했다"고 하셨다. 우리가 그 후 몇 년 뒤 세계에서 가장 가난한 나라 중 하나인 네팔에서 그것도 가난한 산골에서 가장 가난한 네팔 사람들에 둘러싸여 살고 치료하면서 그 때 모선생님의 기도의 응답이 이렇게 이루어지는구나 라고 기억에 떠올렸다.

뉴질랜드로 방문 오시다.

겨울이라 추운데도 잠깐 뜨거운 물로 샤워만 하시고 차가운 방에서 전기 히터도 사용 안하고 핫 팩만 안고 주무셨다. 빨래 줄에 걸린 그녀의 스타킹을 보니 팬티스타킹이나 한 쪽 다리에 흠이 났으나 다른 한 쪽은 안 났고, 다른 팬티스타킹도 한 쪽은 구멍이 났고 다른 한 쪽이 안 났는데, 분명한 것은 두 팬티스타킹을 같이 입으면 각각 구멍 난 다리 쪽이 보완이 되어 흠이 안 난 스타킹 한 세트를 입는 것과 같은 것이다. 나도 저렇게 살아야지! 아니 그렇게 살아야하나? 고민이 되었던 순간이었다.

아이들에게 맥도널드에 가서 버거를 사주시겠다고 우리 가족을 끌고 가셔서 당신이 자신 있게 주문을 하셨다. "빅맥 두 개하고 불고기 버거 두 개요" ㅋㅋㅋㅋ 완전 한국말로 !! "뉴질랜드에 오셨으면 영어로 주문하셔야지요!!!" 한국 사람이 다 되었던 거다. 당신은 늘 거의 단벌과 단 구두로, 그러나 늘 정갈하고 소박한 꾸밈으로 단정하게 하고 다니셨다. 뉴질랜드 우리 집에 머물고 가시면서 당신의 울 쉐타와 치마, 분명 나에겐 사이즈가 컸는데 나에게 벗어주고 가셨다. 그 때 안 받겠다 고사했는데 왜 굳이 주고 가셨는지 잘 이해가 안 되었지만 아마 선교 훈련을 받느라 궁색하게 입고 살고 있는 내 모습이 안타까웠는지, 혹은 내가 그 옷들을 받고 위로를 받았는지 알 수는 없으나 끝까지 나를 돌보아주는 느낌이었다.

남편, 인모 그리고 나 세 사람이 시드니에서 열린 세계기독의사회 참석으로 모신희 선교사님 댁에 머물렀다. 그녀가 한국에서의 삶과 사역을 마치고 시드니에서 둥지를 트셨고 다행히도 우리가 그 댁을 방문하는 행운을 가졌다. 우리가 왔다고 한인 수퍼에 가셔서 한국 반찬들, 김치, 깻잎장아찌, 멸치 볶음 그리고 김을 사서 냉장고에 두셨다 꺼내셔서 저녁을 준비하고 계셨다.

"아이, 파이다!" "?????" 우리 먹이려고 산 김이 맛김이 아니라 김밥용 김인 것을 가위로 자르면서 알게 되시고는 부산 사투리로 "아이, 파이다!"라고 하신 것이다. 정말 오랜만에, 부산 떠난 지 오래된 토박이인 내가 들어본 구시한(구수한의 사투리) 사투리를 여전히 구사하셨다.

우리가 모임에 참석하는 동안 인모를 매일 데리고 다니면서 마치 할머니가 손자 봐주시듯이 돌봐 주셨다. 뉴질랜드로 가는 일정을 앞 둔 우리에게 당신에게 지난 번 사용하다 남은 뉴질랜드 달러가 있다면서 진모에게 가져다주라면서 주셨다. 어머니 같이 자상하고 배려 많은 성품이어서 “어미 모(母)라 작명을 하셨지요?”라고 물어 보았다. “아니 모택동 모자인 털 모(毛)”라 하셔서 부엌에서 함께 웃었다.

거실에는 한국에서 가져온 구식의 좌식 화장대와 우리가 선물로 드린 금성 전축 셋트가 눈에 들어 왔다. 95년 네팔을 가면서 음악을 좋아했던 우리는 최소한의 라디오, 씨디, 카세트가 장치된 자그마한 오디오 세트를 구입하면서 모선생님에게도 같은 것을 선물해드렸는데 그것을 한국을 떠나올 때 가져온 것이다. 처음 한국 땅을 밟았을 1974년부터 한국이 70, 80, 90년대를 지나며 부유하게 발전하는 가운데 당신은 주변의 한국인 친구들보다 소박하게 사는 것이 어려웠으리라 추측을 해본다. 한국에서나 호주에서나 변함없이 소박한 삶의 방식에 자족하시며, 결혼을 하든 미혼이든 건강하든 병 중이든 자족하시며 사시는 모습은 언제나 청정 지역을 들어가 맑은 공기를 마시는 듯 그녀의 감사의 열매가 우리에게 전달되었다.

주의 인자가 생명보다 나으므로

병으로 인해 20년 간의 한국 사역을 마치고 호주로 돌아가 있는 중 2001년 뉴질랜드에서 안식년을 지내고 있는 중 우리 집을 방문하여 일주 정도 지내셨다. 사실 우리가 가는 곳마다 방문했던 모 선생님은 네팔에도 방문할 계획이 있었는데 발병의 사실을 알고 모든 것을 정리해야 했다. 먼저 한국을 떠나야 했고 아마 많은 상실감이 있었을 것이다. 그러나 오히려 "주의 인자가 생명보다 나으므로 ..." 라고 고백했다. 자신의 발병으로 오랫동안 주께로 돌아오길 기도했던 친구 부부가 발병에 대한 믿음의 태도와 감사하는 모습을 보고 하나님을 믿게 되었다. 20년 기도의 열매로 그들이 돌아오게 된 기회가 되었다며 더 큰 감사를 드렸다.

그녀의 40대 50대 60대를 멀리서, 가까이에서 본 바에 의하면 한결같고 변함없이 자신의 어떠함에도 주님의 선하심을 믿으며 살아 왔기에 그녀를 뒤흔들 수 있는 생명의 위기에도 주님의 인자하심에 대한 믿음이 빛을 발했던 것이다. 한 사람을 오래도록 바라보며 그 분과 함께 하시는 하나님의 사랑에 초청받고 그 능력으로 변화되는 삶은 축복이다. 그러한 축복과 영향력은 우리 자녀, 다음 세대까지 전달되는 것 같다.

작년에 우연히 뉴질랜드를 방문하실 계획을 알게 된 나는 큰 아들 진모에게 알려 꼭 식사라도 대접해 드리라고 부탁을 했다. 갑작스런 일정이었고 만나기 어려웠던 상황이었지만 어린 꼬마 진모가 신사 진모로 나타나 식사 대접을 해드리며 교제를 하게 되었다. "약국에서 만나거나 뉴질랜드에서 만나는 다른 할머니들이랑 달라요. 뭔가 빛이 나는, 겉 사람은 나이가 들었으나 내면에 어떤 특별한 힘, 아름다움의 비밀스러운 것을 소유한 분으로 보였어요. 이야기하는 내내 뉴질랜드에서 약 10년 살면서 이렇게 좋은 만남, 편안하면서도 내면의 힘을 얻게 되는 대화는 정말 오랜만이었어요. 엄마 연락 잘해주셨어요!" 그래, 그런 것이다. 참 잘 살아오신 것이다. 세월을 두고 차곡차곡 쌓아놓은 신뢰 믿음은 십 년 넘은 세월의 간격에서 오는 어색함에도 감추어지지 않고 진모 눈에도 밝히 드러나는 것이다.

모신희는 누구인가?

그녀의 가장 귀한 점은 한 사람을 만나면 그 사람 그대로 받아주고 인내하며 끝까지 그를 그리스도께 인도하기 위해 사랑하고 기도하는 것이다.

당신이 보내는 편지 끝에 *With love & prayer Cecily*는 그의 어떠함을 대표하는 표현인 것으로 "너를 사랑하며 기도하는 모신희"이다.

어려움을 하소연하는 것을 거의 들어본 적이 없지만 다음과 같은 말씀을 해주신 적은 있다. 길을 걸어가노라면 철부지 아이들이 외계인 보듯이 "헤이 몽키" 하며 원숭이 시늉으로 모선생님을 놀려대던 것이 참 싫었노라 하셨다. 또 한국 사람이 돈을 빌리러 올 때면 어떻게 처신해야 할지 몰랐는데 결국 빌려줄 때는 그냥 주는 것이라 마음먹고 돈을 주기로 했던 것과 정신 질환이 있었던 어느 청년이 모 선생님을 연모하여 밤낮으로 전화하고 괴롭혀서 힘들다고 하셨다. 모 선생님 주변에 모여든 많은 사람들이 말씀 실천과 기도로 변화되는 것이 그녀의 가장 큰 기쁨이었을 것이다. 그럴 때도 언제나 자신을 자고하는 모습을 거의 본 적이 없다. 안식년이 끝나 다시 한국으로 올 때마다 어려웠다가, 마지막 안식년 떠날 때는 당신이 약간 우울했노라 하시면서 우울증세로 힘들어하던 나를 위로해주셨다. 언제나 결코 무너지지 않는 완벽한 모습이 아닌 당신의 연약한 점이 내게는 위로가 되었다. 오직 자신의 모습은 알뜰히도 드러내지 않고, 까만 머리가 파뿌리가 될지라도 생명의 위기에도 오직 신랑 되신 주님과의 언약에 변함이 없기에 가능하셨을 것이라 본다.

모 선생님은 언제나 결혼은 포기한 적이 없고 언제든지 적합한 상대자가 나타나면 결혼은 할 것이라 하셨다. 아직까지 그 상대방이 나타나지 않았지만 섭섭해 하시는 것 같지 않다. 오히려 끝까지 언제 나타날지 모르는 배우자를 위해 가진 옷은 별로 없었으나 소박한 매력을 잃지 않으려고 식사 조절도 하시고 몸매 신경을 쓰셨던 점 등, 자기 관리를 잘 하시면서 균형을 잃지 않은 점도 같은 여자로서 선교사로서 고맙게 생각한다.

모: 모든 것을 포기하고 한국에 와서

신: 신랑 되신 주님을 사랑과 기도로

희: 희락으로 삼은 어여쁜 신부, 모신희 선교사님

Thank you who you are and what you have been doing for us!!!

Thank you for proving who God is love through your whole life

어머니라 말은 하지만 우리가 한국을 떠나 멀리 네팔, 베트남 등 타국에서 대부분 지내느라 자주 뵙지도 마음처럼 돌보지도 못하는 죄송함이 늘 있었다. 몇 년 전 은퇴해 은퇴촌 같은 곳으로 이사한다는 소식을 접했을 때 은퇴를 기념하여 모신희 선교사의 삶과 사역에 관한 책이라도 만들어 드리면 그 죄송함이 조금 덜어질 것 같았다. 모 선생님과의 만남과 영향력으로 은혜를 입은 많은 그녀의 친구들이, 영적 자녀들이 이번에 뜻을 모아 책의 출판을 준비하는 과정에 있다는 소식을 듣게 되었다. 덕분에 우리 부부도 한국도 호주도 아닌 베트남에서 그녀를 기리며 감사하는 책 발간을 위한 기념 글을 한 편 보태게 되어 기쁘다. 모신희 선교사님의 글을 쓰는 내내 모신희 선교사님은 나의 현재의 삶과 사역에 어떤 의미를 주는지 생각하고 나를 돌아보게 되면서 마무리를 하게 된다.

나는 33살 때 선교사로 한국을 떠나 지금 56 세이다. 20년이 넘는 선교사의 삶을 살고 맞이한 오늘, 그녀처럼 사랑과 기도의 능력으로, 한 사람이라도 그냥 스치지 않고 그를 귀히 여기고 돌보고 적절한 방법으로, 소

박하지만 실천적인 사랑의 행동으로 그 필요를 채움으로 하나님을 바라보도록 하는 일에 나 자신을 드리고 싶다. 나도 점점 나이가 먹어가고, 마음도 약해지고, 앞으로 어떤 어려움이 기다릴지 모르나 내면의 비밀스러운 빛이 발하는 인품과 믿음으로 나의 가족과 이웃에게 하늘의 힘을 주고 평안을 전달하는 존재이고 싶다.

모 선교사님은 빌딩이나 프로젝트로 선교 사역을 한 것이 아니라 한 사람을 세우는 일에 집중하셨다. 나 자신이 먼저 말씀을 사랑하는 사람, 순종하는 사람, 주님과 이웃을 사랑하는 사람이 되고 누구에게든지 그렇게 살아가도록 나의 삶과 말을 통해 다음과 같은 말씀이 성취되는 것을 보고 감사와 찬양을 돌리고 싶다.

내가 이스라엘에게 이슬과 같으리니 그가 백합화 같이 피겠고
레바논 백향목 같이 뿌리가 박힐 것이라
그의 가지는 퍼지며 그의 아름다움은 감람나무와 같고
그의 향기는 레바논 백향목 같으리니
그 그늘 아래에 거주하는 자가 돌아올지라 그들은 곡식 같이 풍성할 것이며
포도나무 같이 꽃이 필 것이며 그 향기는 레바논의 포도주 같이 되리라
에브라임의 말이 내가 다시 우상과 무슨 상관이 있으리요 할지라
내가 그를 돌아보아 대답하기를 나는 푸른 잣나무 같으니
네가 나로 말미암아 열매를 얻으리라 하리라
(호세아 약속의 말씀 14:5-8)

세실리와의 아름다운 추억들

허영자:
크리스천 시인협회 시인/ 상담학 강사/ 개척교회 사모

대학 3학년 겨울, 나는 예수님을 나의 구주로 영접했다. 바로 그 후 주님께서 허락하신 놀라운 첫 축복은 형기 언니와(하용조 목사님의 사모님) 세실리 모어 선교사님을 만나게 된 것이었다. 당시 뉴질랜드 바이블 칼리지로 공부를 떠나려던 형기 언니는 세실리를 나와 친구들에게 소개해 주었다. 젊고 아름다운 호주 선교사를 처음 만난 지 벌써 37년이 지났다. 지난 날의 추억들이 그림처럼 생생하게 내 마음에 떠오른다. 일주일에 한 번씩 영어 성경공부로 만나던 신촌 동교동의 작은 아파트(경건의 시간에 주님께로부터 받은 깨달음을 깨알 같은 글씨로 기록해 놓았던 그녀의 성경을 지금도 기억한다. 초신자였던 내게 그녀가 얼마나 자신의 주님께 신실하고 가 르침을 받던 우리에게 신실했던 지를 그 성경을 보며 느낄 수 있었다.)

손수 구워 주던 쿠키와 케익의 맛! 성경공부가 끝나고 그것을 먹을 시간을 몹시 기대했던 생각이 난다. 데이트 문제로 갈등하던 나에게 언니같이, 영적 멘토같이 도움을 주었던 그녀의 조언, 지혜, 그리고 기도를 기억한다. 몸과 마음이 추웠던 어느 겨울 날, 손수 만든 케익 위에 여러 가지 색깔의 초코볼로 "축생일"이라고 써서 내어놓던 그 날의 감동을 잊지 못한다. 그 케익은 당시 신앙 문제로 부모님과 갈등을 겪으며 힘든 시간을 보내고 있던 나에게 큰 위로와 격려가 되었다. 부모님은 나의 기독 신앙을 인정하지 않으려고 했지만 세실리를 좋아했고 그녀가 우리 집을 방문하는 것을 환영하셨다. 나는 그녀가 우리 가족을 위해 기도한 것을 안다. 지금 그 아버지는 천국에서 예수님과 함께 계신다.

거제도 와현 여름캠프에서 허영자

부산 자성대 아파트에서의 큐티모임과 나눔, 그 모임은 나에게 피난처요 안식처였다. 거제도 와현에서의 아름다운 여름 캠프의 기억!

비록 세실리와 연관된 추억들을 모두 다 기록할 수는 없지만, 그녀가 나에게 끼친 영향을 두 가지로 정리해 보고 싶다. 그녀는 하나님을 어떻게 사랑하는지 그리고 사람을 어떻게 사랑하는지 보여 주었다. 내가 바람직하지 못한 모습으로 살아갈 때도 그녀 앞에서는 수치심 대신에 용납을 경험했다. 그녀는 나에게 요구하거나 압박감을 주거나 올바른 길을 가르치려고 애쓰지 않았다. 지금도 나는 말없이 표현되는 세실리의 따뜻한 관심과 기도와 사랑을 느낄 수 있다. 세실리 모어 선교사는 나와 가족과 친구들과 한국에 하나님을 어떻게 사랑하며 사람을 어떻게 사랑하는지 보여주는 모델이 되는 하나님의 축복이며 선물이다. 진정으로! 나는 그를 닮기가 멀고도 멀었지만 그의 학생이며 친구인 것이 자랑스럽다.

敎 報 1996年 11月 9日(土曜日) 〔10〕

23년간 교단과 교회에서 협력 선교한 모신희(CECILY MOAR)선교사

11월말 골수암 치료위해 본국 호주로 귀국

『완치되면 2년뒤 다시 돌아올 겁니다』

23년간 본 교단 교회와 총회교육위원회에서 협력 선교사로 사역하며 영어성경공부와 교회교육의 시청각 부문에 남다른 열정과 힘을 쏟아오던 모신회 선교사(CECILY MOAR.50)가 뜻하지 않은 골수암에 걸려 치료를 하기 위해 오는 11월말경 본국인 호주로 돌아간다.

교사강습회 때에 완벽한 한국말을 구사하며 수많은 교사에게 잔잔한 감동과 도전을 주었던 그는 OMF의 파송을 받아 1974년 한국에 첫 발을 디뎠다.

처음 간호선교사로 한국에 온 그는 언어공부에 주력했고, 1976년부터 부산에 있는 삼일교회에서 협동선교사로 활동했다.

1980년 고신대학교에서 영어회화를 가르쳤고, OMF에서 한국에 파송받은 선교사들의 언어훈련을 책임 맡기도 했다.

1986년 부터 교육위원회와 협력하게된 그는 1994년 잠실중앙교회에서 협력선교사로 영어성경공부 인도와 주일학교에서 수고의 땀을 흘렸다. 이러한 사역을 감당하게 된 동기는 호주장로교회에서 주일학교 시절 선교에 대한 교육을 잘 받았는데 이때 부산 일신병원에 간호선교사로 헌신할 것을 다짐했다고 한다. 그후 하나님이 준비하신 기간을 거친후 30세가 되던 해 비로소 한국땅을 밟았다.

아버지가 장로요 어머니는 주일학교 교사인 집안에 1남 3녀중 둘째였던 그는 이제 호주 본가로 돌아간다.

『치료가 잘 되면 2년뒤에 다시 돌아올 겁니다. 호주에 있는 동안 시청각 교재 개발에 튼튼히 노력할 것 입니다.』

호주에 가서도 자신의 병상에 대한 관심보다 시청각 교재개발에 힘을 쏟을 것이라는 그는 자신을 인도하시는 하나님의 뜻이 어디 계신지에만 관심이 있을 뿐이다.

『부산에서 영어성경공부를 인도할 때 성경보다는 영어공부에 관심이 많았던 청년이 있었습니다. 그때 마침 사도행전을 공부했었는데 사울이 예수님을 만나는 장면을 공부했습니다. 그 청년은 자신도 그런 사건이 있으면 예수 믿겠다고 했습니다. 그후 그 청년에게 어려움이 왔고 그 청년은 결국 예수님을 믿었습니다.』

지난 23년동안 모신회 선교사는 더욱 많이 기도하지 못함이 아쉽다며 앞으로 기도에 힘을 많이 쏟겠다고 했다.

『저를 기억하는 분들이 저를 위해 기도해 주신다면 큰 도움이 될 것입니다.』

한국땅에서 그가 남긴 수고와 땀에 대한 보상은 이제 그를 위한 기도뿐이다. 그가 얘기한대로 다시 한국에서 그의 모습을 볼 수 있는 날 환한 웃음을 나누며 교회교육을 위해 머리를 맞댈수 있기를 소원한다. 〈구본철〉

기독교보 1996년 11월 9일(토요일) 자

: 23년간 본 교단 교회와 총회 교육 위원회에서 협력 선교사로 사역하며 영어 성경공부와 교회 교육의 시청각 부문에 남다른 열정과 힘을 쏟아오던 모신희 선교사(CECILY MOAR. 50)가 뜻하지 않은 골수암

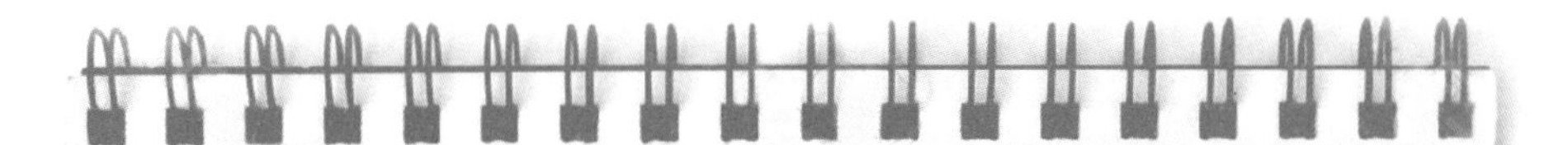

에 걸려 치료를 하기 위해 오는 11월말경 본국인 호주로 돌아간다.

교사 강습회 때에 완벽한 한국말을 구사하며 수많은 교사에게 잔잔한 감동과 도전을 주었던 그는 OMF의 파송을 받아 1974년 한국에 첫 발을 디뎠다. 처음 간호 선교사로 한국에 온 그는 언어 공부에 주력했고, 1976년부터 부산에 있는 삼일교회에서 협동선교사로 활동했다.

1980년 고신대학교에서 영어회화를 가르쳤고, OMF에서 한국에 파송받은 선교사들의 언어 훈련을 책임 맡기도 했다.

1986년부터 교육위원회와 협력하게 된 그는 1994년 잠실 중앙교회에서 협력 선교사로 영어 성경공부 인도와 주일학교에서 수고의 땀을 흘렸다. 이러한 사역을 감당하게 된 동기는 호주 장로교회에서 주일학교 시절 선교에 대한 교육을 잘 받았는데 이때 부산 일신 병원에 간호선교사로 헌신할 것을 다짐했다고 한다. 그후 하나님이 준비하신 기간을 거친 후 30세가 되던 해, 비로소 한국 땅을 밟았다. 아버지가 장로요 어머니는 주일학교 교사인 집안에 1남 3녀 중 둘째였던 그는 이제 호주 본가로 돌아간다.

"치료가 잘 되면 2년 뒤에 다시 돌아올 겁니다. 호주에 있는 동안 시청각 교재 개발에 틈틈이 노력할 것입니다."

호주에 가서도 자신의 병상에 대한 관심보다 시청각 교재 개발에 힘을 쏟을 것이라는 그는 자신을 인도하시는 하나님의 뜻이 어디에 계신지에만 관심이 있을 뿐이다.

"부산에서 영어 성경공부를 인도할 때, 성경보다는 영어 공부에 관심이 많았던 청년이 있었습니다. 그때 마침 사도행전을 공부했었는데 사울이 예수님을 만나는 장면을 공부했습니다. 그 청년은 자신도 그런 사건이 있으면 예수 믿겠다고 했습니다. 그후 그 청년에게 어려움이 찾아왔고 결국 그 청년은 예수님을 믿었습니다."

지난 23년 동안 모신희 선교사는 더욱 많이 기도하지 못함이 아쉽다며 앞으로 기도에 힘을 많이 쏟겠다고 했다.

“저를 기억하는 분들이 저를 위해 기도해 주신다면 큰 도움이 될 것입니다.”

한국 땅에서 그가 남긴 수고와 땀에 대한 보상은 이제 그를 위한 기도뿐이다. 그가 얘기한대로 다시 한국에서 그의 모습을 볼 수 있는 날, 환한 웃음을 나누며 교회 교육을 위해 머리를 맞댈 수 있기를 소원한다.

〈구본철〉 **자료제공: 이 상규**

제124호 [제3종 우편물(가)급 인가] 1992.3.2 교회복음신문

이사람

한국에서 꽃피운 선교의 꿈

74년 OMF통해 한국에 파송

「성경공부」 인도로 바쁜 일상

하나님과의 개인관계 중요해

요15:16말씀 선교사역 확신

모신회 선교사 (부산 삼일교회)

「세실리 모아」, 호주 무움바 출신, 회색 눈동자에 갈색머리를 지닌 49세의 미혼. 현재 부산 삼일교회(한빛국목사 시무) 협력선교사로 재직 중인 그녀를 우리는 모신회 선교사라 부른다.

『어릴 때부터 전 예수님을 참 잘 믿는 아이었어요. 주일학교도 열심히 다녔죠. 10세때 선교사로서의 꿈을 막연히 꾸어 왔어요. 하지만 예수님이 날 위해 돌아가셨다는 사실은 못 깨달았지요.』

선교사가 되리라는 막연한 생각이 구체화된 건 고교 졸업무렵 수련회 때의 일이다. 「선교 기도모임」 시간을 통해 어린시절 선교사로 헌신하리라던 기억이 되살아 났다.

『전 그때 예수님이 날 위해 십자가에 달려 돌아가셨음을 확실히 깨달았어요.』 의료선교사로 파송되는 것이 가장 쉬운 방법이라 여긴 그녀는 「뉴질랜드 바이블 컬리지」에 입학, 간호학을 공부하기에 이른다. 신학교 시절 인도네시아, 한국등 아시아 지역에 관해 많은 것을 들었으며 특히 「부산 일신기독병원」에 대해 자주 접하게 된 그녀는 한국을 선교지로 꿈꾸기 시작했다.

그런 어느날 아침, 아침 묵상을 통해 늘 되새겨 온 요한복음 15장16절 말씀이 그날따라 그녀에게 클로즈업되어 온 것이다.

『늘 묵상했던 말씀인데 그날은 참 이상했어요. 하나님이 제가 선교사가 되길 원하신 것처럼 아주 강렬하게 느껴졌어요.』 그때의 경험이 오랜 타국생활에서의 어려움을 지탱해 주는 강한 힘이 되고 있단다.

76년 10월 그녀는 부산에 도착, 지금까지 삼일교회를 섬기고 있으며 고신 총회교육위원회 협동선교사로도 봉사하고 있다. 특히 그녀는 성경공부를 많이 인도하고 있다. 그래서 얻은 또하나의 이름이 「세실리 큐티 모아」.

『하나님의 말씀없이 하나님 일을 할 수없습니다. 주님과의 개인적인 관계는 꼭 필요한 니다. 날마다 주님을 만나는 시간을 가짐으로 크리스챤으로서 보람과 힘을 얻게 되는 것입니다.』

「영어 성경공부모임」「사모모임」「평신도 성경공부 모임」등을 인도하는 그녀의 일과는 너무 바쁘다. 그래서 아직 결혼을 안했을까?

『하나님이 중매해 주시면 언제든지 결혼할 생각입니다.』 그녀는 독신주의자가 아님을 피력한다.

먼 이역의 땅, 한국에서 특별히 어려웠던 기억도 없이 그녀를 버티게 해주는 힘은 무엇일까?

『그건 그녀의 일과를 여는 첫시간에 만나는 하나님 때문임을 너무나 잘 안다. 하나님 때문에 모든 것이 순조롭고 행복하기만 한 그녀에게도 아직 큰 과제로 남아있는 건 언어문제. 그래서 석사과정을 밟아 어학공부를 계속하고 싶다고.

건강이 허락되는 데까지 하나님 사역을 계속 하겠다는 모선교사는 은퇴후 고국으로 돌아가 호주로 유학 또는 선교사로 파송되어 온 사람들을 돕고 싶단다. 그녀 자신이 타국에서의 어려움을 경험했으므로. 〈란〉

교회복음신문 1992년 3월 2일 자

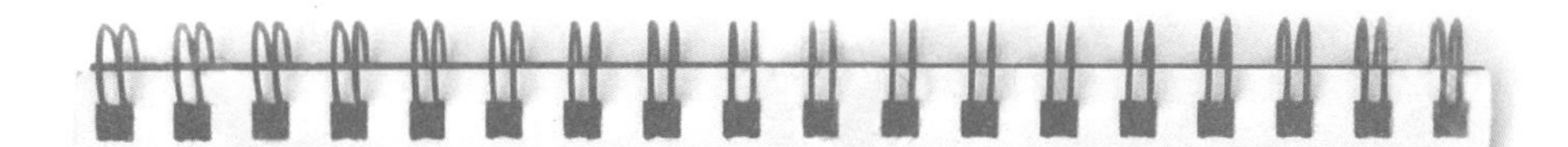

: '세실리 모아', 호주 투움바 출신, 회색 눈동자에 갈색 머리를 지닌 49세 미혼. 현재 부산 삼일교회(하병국 목사 시무) 협력 선교사로 재직 중인 그녀를 우리는 모신희 선교사라고 부른다.

"어릴 때부터 전 예수님을 잘 믿는 아이였어요. 주일학교도 열심히 다녔죠. 10세때 선교사로서의 꿈을 막연히 꾸어 왔어요. 하지만 예수님이 날 위해 돌아가셨다는 사실은 못 깨달았지요."

선교사가 되리라는 막연한 생각이 구체화 된 것은 고교 졸업 무렵 수련회 때의 일이다. "선교 기도 모임' 시간을 통해 어린 시절 선교사로 헌신하리라던 기억이 되살아났다.

"전 그때 예수님이 날 위해 십자가에 달려 돌아가셨음을 확실히 깨달았어요." 의료 선교사로 파송되는 것이 가장 쉬운 방법이라 여긴 그녀는 '뉴질랜드 바이블 컬리지'에 입학, 간호학을 공부하기에 이른다. (간호사가 되고 나서 선교사 준비를 위해서 바이블 컬리지에 들어갔다. - 이 부분은 오류 기사-편집자 주) 신학교 시절 인도네시아, 한국 등 아시아 지역에 관해 많은 것을 들었으며 특히 '부산 일신 기독 병원' 에 대해 자주 접하게 된 그녀는 한국을 선교지로 꿈꾸기 시작했다.

그런 어느 날 아침, 아침 묵상을 통해 늘 되새겨 온 요한복음 15장 16절 말씀이 그날따라 그녀에게 클로즈업 되어 온 것이다.

"늘 묵상했던 말씀인데 그날은 참 이상했어요. 하나님이 제가 선교사가 되길 원하신 것처럼 아주 강렬하게 느껴졌어요."

그때의 경험이 오랜 타국 생활에서의 어려움을 지탱해 주는 강한 힘이 되고 있단다.

76년 10월 그녀는 부산에 도착, 지금까지 삼일 교회를 섬기고 있으

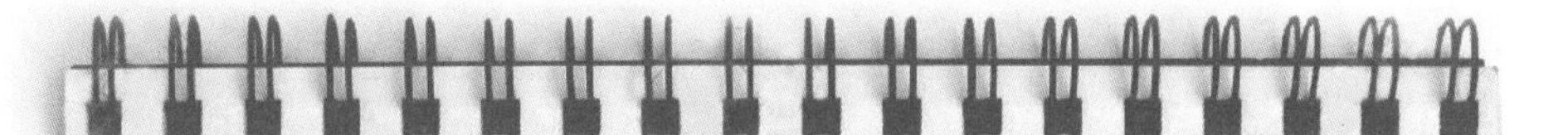

며 고신 총회 교육위원회 협동 선교사로도 봉사하고 있다. 특히 그녀는 성경 공부를 많이 인도하고 있다. 그래서 얻은 또 하나의 이름이 '세실리 큐티아'

"하나님의 말씀 없이 하나님의 일을 할 수 없습니다. 주님과의 개인적인 관계는 꼭 필요합니다. 날마다 주님을 만나는 시간을 가짐으로 크리스챤으로서 보람과 힘을 얻게 되는 것입니다."

'영어 성경공부 모임' '사모 모임' '평신도 성경 공부 모임' 등을 인도하는 그녀의 일과는 너무 바쁘다. 그래서 아직 결혼을 안 했을까?

"하나님이 중매해 주시면 언제든지 결혼할 생각입니다." 그녀는 독신주의자가 아님을 피력한다. 먼 이역의 땅, 한국에서 특별히 어려웠던 기억도 없이 그녀를 버티게 해주는 힘은 무엇일까? 그것은 그녀의 일과를 여는 첫 시간에 만나는 하나님 때문임을 너무나 잘 안다. 하나님 때문에 모든 것이 순조롭고 행복하기만 한 그녀에게도 아직 큰 과제로 남아 있는 건 언어 문제. 그래서 석사 과정을 밟아 어학 공부를 계속하고 싶다고.

건강이 허락되는 데까지 하나님 사역을 계속하겠다는 모 선교사는 은퇴 후 고국으로 돌아가 호주로 유학 또는 선교사로 파송되어 온 사람들을 돕고 싶단다. 그녀 자신이 타국에서의 어려움을 경험했으므로. 〈란〉

자료제공: 이 상규

세실리 모어 방문기

2012년 3월 24일 ~ 4월 4일

글 최태희

브리스번은 보슬비가 왔지만 그리 춥지는 않았다. 반가운 얼굴이 마중나와 계셨다. 얼굴에 주름이 생겼지만 여전히 해맑은 세실리, 수술후유증으로 다리를 절면서 주차장으로 안내를 하는데 죄송했다. 섬김을 받는 것이 더 자연스러운 연세인데… 아주 오래된 차로 1시간 가까이 운전을 했다. 거리는 넓고 푸르고 여유 있고 아름다웠다. 군데군데 있는 교회들도 아주 아름다웠다. 집은 수수하면서도 아담하고 예뻤다. 모든 것이 있어야할 곳에 대단히 잘 정돈되어 있었고 틀림없이 손님 맞는다고 청소도 특별히 했을 것이다. 아이고, 또 미안해라 …

70세 이상 되는 분들을 위한 거주 단지에 OMF가 모자란 부분을 도와

현재 사는 집

줘서 방 둘, 거실 있는 집을 하나 샀다고 했다. 37년 동안 선교사로서 수많은 이사를 하면서 이제 마지막이라고 짐 넣었던 박스들을 버리면서 기뻤다고 했다. 이곳 기준으로 아주 기본적으로 필요한 것만 있는 집이기는 했지만 70년대 연희동 연탄 때던 아파트나 80년대 부산에서 열 몇 평되는 산꼭대기 5층 아파트에서 여러 명과 같이 살던 일을 생각하면 이런 곳에서 남은 생을 살 수 있어서 정말로 감사했다.

노인 주거 단지가 아주 부러웠는데 7, 8개 되는 각 교파마다 노령 사회의 필요를 채워주고 또 전도 목적을 겸해서 이런 시설을 가지고 있다고 했다. 거동이 가능하지만 혼자는 살 수 없어서 커다란 건물에서 거실과 식

거주지 내 공동생활건물

당을 같이 쓰는 분들이 있고, 거동을 할 수 없어서 보모가 돌봐야하는 방들이 있는 구역도 있었으며 (nursing care 구역. 일반 사설 기관과 달리 기독교 기관은 돌보미 인원이 더 많다고 한다. 이곳은 그냥 잠옷 채 누워 있도록 하지 않고 언제나 옷을 갈아입힌다고 했다.) 세실리 집처럼 거동도 가능하고 혼자 살림도 할 수 있는 사람이 사는 곳도 25채 가량 있었다. 원룸과 투룸 두 종류가 있었고 나무가 햇빛을 가리며 강이 바라보이는 쪽은 분양가가 조금 더 비쌌다. 이 교단만 이런 시설이 3군데 있는데 이곳이 제일 소규모란다.

내가 호주에 온 이유 두 가지 중 하나는 한국 필드로 왔던 선교사들의

현재 다니는 교회

역사를 기록하려는 것이었다. 세실리 이전에는 두세 가정의 선교사(피터 & 오드리 피터슨, 존 & 캐트린 윌리스 선교사 부부, 마가렛 로벗슨) 밖에 없었고 제일 오래 있으면서 모든 선교사의 주거 문제나 언어, 전반적인 생활 문제를 도와주던 선교사였기 때문에 제대로 찾아온 것이었다.

세실리가 그 동안의 편지를 보여주는데 덜컥 걱정이 먼저 되었다. 호주 OMF는 선교사가 일 년에 대여섯 번 이상 의무적으로 기도 편지를 보내도록 되어 있었다. 그렇지 않으면 어떻게 기도로 이루어지는 하나님의 사역을 함께 할 수 있겠느냐는 것이었다. 세실리는 74년 파송되었을 때부터 쓴 기도 편지를 대부분 가지고 있었다. 37년×최소한 6통 = 212 통, 1년에 2~4통 쓰는 한국 소식지 100통 이상, 그 외 크리스마스나 부활절에는 개인적으로 쓰는 편지까지 수많은 편지를 썼다. (힘들 때도 있었지만 중요한 사역이라고 생각했기 때문에 거르지 않았다고 했다.) 그것을 호주 본부로 보내면 본부 사무실에 담당자가 있어서 또 기도 동역자에게 보내는 편지는 100여명, 소식지는 500여명의 후원자에게 보냈다. 그러니 참으로 혼자가 아니라 하나님의 백성들과 함께 기도로 한 사역이었다.

그런데, 어떻게 저 많은 편지들을 읽어서 그 안에서 역사를 찾아낸단 말인가. 더구나 그 옛날의 낡은 타이프로 낡은 종이에 친 희미한 영어를 어떻게 읽어낼 수 있을까? 그런데 그런 생각도 잠시, 세실리는 '이 안에서 필드 선교사에 관련된 것을 모든 사정을 알고 있는 내가 정리하면 좀 쉽겠지?' 하는 것이었다. 휴, 걱정되던 가슴을 쓸어내렸다. 늘 한결 같은 사려 깊은 배려에 고마운 마음 말할 수 없었다.

세실리는 편지를 보면서 사건들을 정리해 가고 나는 그 편지들을 읽기 시작했다. 기도편지는 뉴질란드 바이블 컬리지를 졸업하고 오랫동안 관심이 있었던 OMF에 허입되었을 때부터 시작하고 있었다. 그 후로 싱가포르 오리엔테이션 코스로 시작해서 순간순간 만나는 일에 대해서 기도를 부탁하는 내용으로 이어졌는데 아, 이렇게 하니까 파송자와 함께 선교하는 것이 되는구나 하고 수긍이 갔다. 파송지, 다니던 교회, 새 친구, 눈에 들어오는 경치, 만나는 사람들, 오리엔테이션 코스에서 배우던 것들, 새로운 깨달음, 당면 과제 등을 상세히 때마다 기도를 부탁하였다. 한국

선교편지들

에 도착해서부터 성경공부를 부탁 받고 있는 기관들, 개인들(친구, 만나는 사람, 동역자), 자신의 언어 습득과 비자, 자신이 속해 있는 OMF의 일에 대해서 편지마다 상세히 써서 부탁하고 있었다. 편지에는 두 종류가 있었다. 모든 기도제목이 들어 있는 편지는 '기도 동역자들에게(To Prayer Partners)'라고 시작하고 있었고 일반적으로 보내는 편지는 '한국 소식지'(The Korean Chronicle)라고 썼다.

날마다 어떻게 사는가가 환히 드러났다. 언어 공부, 전도, 친구들의 이야기를 마치도 직접 만나기라도 한 것처럼 알 수 있었다. 특히 만나게 되는 사람에 대한 관심이 특별하여 늘 그 사람들에 대한 기도 부탁을 수 년간, 어떤 사람에 대해서는 10년 이상 하고 있었다. 초창기에 고등학생으로 만나 '영 믿지 않는 친구'로 계속 기도를 부탁하고 있었던 한 청년은 만난 지 20년 이상이 지나서야 교회를 다니게 되었다. 늘 동역자들을 위해서도 기도를 부탁했다. 그러면서도 기회가 있을 때면 아름다운 곳에 동료와 함께 휴가를 가서 기도와 쉼, 깊은 성경 읽기 등을 하고 있었다.

최근 선교사의 성실성, 정직성에 대한 세미나도 있지만 하나님 앞에서 스스로가 감독이 되어 시간 사용을 하는 모습이 감명 깊었다.

제일 처음에 한국에 온 OMF 선교사는 피터와 오드리 패티슨, 존과 캐서린 월리스 그리고 마가렛 로벗슨으로 1969년에 함께 부산항에 배로 도착해서 사역을 시작했다. 한국에 온 OMF 선교사들이 몇 명이 되었을 때 책임자 -필드 대표였던 패티슨 선교사는 Korea Calls(이것은 필드 책임자가 선교사들을 파송한 본국에 있는 분들을 위해서 매달 보내는 편지였다. 국제 본부에도 보냈기 때문에 반드시 전부 보관하고 있을 것이라고 세실리는 생각했지만 HQ는 보관하고 있지 않았다.)에 한국 OMF의 사역 목표를 이렇게 기록해 놓았다.(1978년)

1. 기본적으로 우리는 교회와 관련하여 일한다.
2. 교회 사역과 관련하여 우리의 주된 관심사는 성경이 중심이 되도록 재강조하는 일이 될 것이다.
3. 우리는 우리가 하려는 사역이 SU(Scripture Union - 성서 유니온)의 정신과 매우 유사한 것을 알게 되었다. 실제 삶에서 성경의 권위에 복종하게 하는 것이 우리 사역에서 결정적으로 중요한 일이고 그것이 한국 교회의 미래가 잘 되는 길이다. 우리는 교회 안에서 이루어지기 원하는 그 일을 위하여 SU의 수단을 사용할 뿐 아니라 그 원리를 따를 것이다. 우리가 실제로 하게 될 일은 SU가 하는 청소년 전도와 성경 읽기인데 그 일은 단기간에 재정적으로 독립하기 어려운 일이기 때문에 현재로서는 OMF 선교사에게 그 사역의 많은 부분을 의존하게 될 것이다.

이러한 사역도 세실리 모어의 기도 편지를 보면 76년도 여름에 처음 그 일을 하기 위하여 벌써 75년 12월부터 대프니 로버츠, 권춘자, 윤종하 총무, 세실리 모어가 함께 위원이 되어 계획을 하고 있었다. 과연 사역이 기도로 이루어진다는 것을 두꺼운 편지 묶음을 읽어가며 실감할 수 있었다.

기도 편지에는 언제나 기도해 주어 이러저러한 일이 기도한대로 이렇게 이루어질 수 있었다. 정말 감사하다고 쓰여 있었다. 사역 보고가 아니라 진정으로 후원하는 분들을 함께 사역하게 하는 또 하나의 사역이었다. 겸손해야 쓸 수 있는 것이었고 정말로 나의 열심 이상으로 하나님이 이루시는 것이라는 확신이 늘 있어야 기도 편지에 전심을 기울이겠구나 하는 생각이 들었다. 날마다 삶의 현장에서 만나는 이웃의 회복과 영원한 행복이 내 힘 너머에 있으니 그것을 위해서 자신도 진심으로 기도하며 또 기도를 부탁하는 아름다운 삶은 부름 받아 해외로 나가는 선교사가 아니더라도 세상에 복의 근원으로 존재하는 하나님의 자녀에게 기본적인 것인데 아주 좋은 모델이 우리 곁에 있었다.

한 달에 한 번씩 있는 퀸즐랜드 OMF 기도회에 갔다. 간단하게 MSI 사역에 관련하여 개인적인 이야기도 하고 한국 OMF의 기도 제목도 나누어 주면 좋겠다고 해서 그렇게 했다. 그곳에는 세실리의 한국 사역 초창기부터 함께 기도해왔던 분들이 계셨기 때문에 (나는 20대 초반에 -1974년도- 세실리의 첫 성경공부 그룹 제자였다.) 나의 현재에 도움을 주신 분들로 생각되어 감사한 마음이었다. MSI 매튜 총재와의 만남을 주선했지만 확인하기 위하여 주일 날 꽤 먼 거리에 있는 브리스번 한인 교회를 지도를 보며 찾아갔다. 시내에 있었는데 옮겼단다. 시내에는 차가 없는 젊은이들이 150명가량 모인다고 했다. 찬양이 좋았다. 과연 힐송이 있는 도시이니 그럴 만도 하지. 성령의 은혜에 잠겨 찬양과 경배를 하면서 CIM 선교사들과 같은 십자가를 따르는 삶을 살면 된다. 그러니 우리가 내는 OMF/CIM 책이 필요하다. 그들이 읽으면 얼마나 좋은 양식이 되겠는가. 목사님을 만나 화요일 매튜 총재 방문에 선교부와 만날 약속을 할 수 있었다. 아무리 중요한 것이라도 사람과 알고 있지 않으면 일이 되지 않는다. 좋은 걸음을 걸어 온 세실리는 이곳에도 친구가 많았다. 선교부 담당 피택 장로님도 친구였다.

3월 26일 월요일

세실리의 주선으로 아침 10시 반, 브리스번 한인 교회 부목사로 오셨다가 지금은 가정 교회 타입의 교회를 하고 계신 목사님 부부와 감리교 목사님께 MSI 사역을 소개하였다. 신뢰가 있는 좋은 관계를 바탕으로 경청해서 듣는 좋은 시간이었다.

오후, 일신 병원에서 사역하다 은퇴하고 돌아온 마틴 선교사님과 식사.

아침의 목사님이 그 유명한 관광지 골드코스트가 가까우니 구경을 시켜주겠다고 전화가 왔다. 그러나 자료를 읽어내고 정리하고 사진과 슬라이드를 복사하려면 시간이 없다.

3월 28일 수요일

오전에 The Korea Calls을 계속 읽고 사진과 슬라이드를 정리, 선별하였다. 십대 때부터 세실리 친구였던 헤이즐은 70년대에 우리 집에 한 번 머문 적이 있었고 2000년 세실리가 호주로 완전히 이사 갈 때 부산에 왔었다. 어릴 적 친구가 이제 완전히 같은 도시로 이사를 왔으니 얼마나 좋았겠는가. 그 집에 사진과 슬라이드를 복사할 수 있는 스캐너가 있어서 오후에 그곳에 갔다. 자료가 너무 많아 일을 다 끝낼 수가 없었다. 모레 다시 만날 것이니 (세실리 동생 캐시가 금요일 초대하였다.) 일은 대신 해주겠단다. 정말로 좋은 책으로 만들 수 있을까. 이렇게 여러 사람 고생시키고 제대로 못하면 어떻게 하나 걱정이 되었다.

세실리는 호주의 일상을 한 가지 경험시켜 준다고 가까운 해변에 가서 피시 앤 칩스를 먹자고 했다. 아주 시야가 넓은 해변이었는데 돈 없는 사람들이 여름에 가족 단위로 와서 휴가를 보내는 곳이란다. 도중에 또 70년대 한국에 와서 만났던 루스와 그 손자도 같이 갔는데 돌아오는 길에는

브리스번 사람들이 골드 코스트 대신에 손쉽게 찾는 해변

루스 집에 들러 교회의 어머니 날 행사를 위한 케익 시식을 했다. 전도의 일환으로 100여명 분의 식사와 간식을 전부 손수 만들어 초대한다고 했다. 70이 넘은 할머니가 그렇게 하다니…

함께 며칠을 지내면서 다시 생각되는 것은 국제단체에서 서로 많이 다른 사람들과 네트웍을 만들어가며 친밀해지고 일을 이루어간다는 것은 보통 일이 아니다. 나는 잠시 있다가 집에 돌아가면 그뿐이지만 우리 선교사님들은 하나님 나라를 위해서 그 모든 것을 감수하고 힘을 내고 있다. 그 모든 것을 감내하고 경주하고 있는 우리 선교사님들을 한껏 격려하고 싶은 심정이다. 그럴만한 가치는 충분히 있다. 하나님의 성령께서 역사하시는

은퇴후 친구들과 가까이서 지내시는 모습이 좋아보였다.

사랑의 통로가 일단 만들어지기만 하면 각 나라와 민족과 방언에서 나온 흰 옷 입은 무리 속에서 함께 찬양하는 그 날 주께 드릴 것이 있을 것이다.

긴장을 하고 정신을 차려서 사랑을 위하는 일이라면, 주의 복음이 세력을 얻게 되는 일이라면 다른 것은 전부 그냥 흘려버릴 수 있는 대범함을 늘 유지하면 좋겠다. 그래서 물었다. 한국인이 마음을 상하게 하는 일들에 어떤 것이 있었는가? 사역 요청을 할 때 당황스러울 때가 많았단다. 모임을 인도하려면 준비 시간이 많이 필요하고 어떤 경우는 가정 살림, 언어 공부, 개인적인 일 때문에 그 요청을 수락하지 못한다고 하면 상처를 받는 것이 힘들었다. 할 수 없는 강의 광고를 미리 하기도 하고, 못한다고 하는데 스케줄 수첩을 보여 달라고 하는 경우까지 있었다. 아마도 지구촌 시대에 우리 민족의 좋은 점이 쓰임 받기 위해서 정주채 목사님의 향상 교회가 연다는 에티켓 교실은 꼭 필요한 것인지도 모르겠다.

3월 29일 목요일

오전 내내 The Korea Calls을 읽고 일지를 썼다. 시드니 한국 목사님들이 매튜와 만나는 일정이 취소되었다고 했지만 우리는 포기하지 않았다. 몇 번 연락을 한 끝에 원래 예정했던대로 3일 화요일 오후 시간에 모이기로 했다. 역시 일의 중요도, 관심도도 중요하지만 일이 되려면 사람이 먼저 엮여 있어야 한다. 그러니 사역에 주님의 내면이 인격에 녹아 있고 독불장군이 아니라 세실리처럼 늘 겸손하게 네트워킹이 되어 있어야 한다. 그래야 그 그물에 역사를 이어 충성해 갈 후세들이 들어올 것이다.

브리스번의 한 한인목사님과 사모님은 오후에 골드코스트 구경시켜 준다고 근무 시간까지 바꿔가며 기다리고 계셨다. 처음으로 여기까지 와서 바로 코 옆에 있는 세계적인 관광지도 한번 안 가보고 돌아가면 아깝지 않느냐고 하셨다. 친절하기도 하시지…. 그런데 우리에게는 할 일이 많았다. 편지를 읽으며 중요한 것을 빠뜨린 것은 없는지 확인하고 어떻게든 시드니의 한인 교회 선교 목사님들이 매튜 총재와의 만남의 자리에 오도록 연락을 해야 했다. 그런데 목사님은 약속이 된 것으로 잘못 알고 많이 당황스러워 하셨다. 한번 연결이 삐걱거리면 회복하기는 몇 배의 수고가 든다. 그래서 다시 전화를 해서 저녁을 함께 하기로 했다. 성도들을 사역의 주체로 세워 성공적으로 가정교회를 하고 계시는 서 목사님은 세실리가 고신대에서 가르칠 때 배웠던 제자였다. 80년대부터 고신대에서 가르칠 때 한 사람 한 사람을 소중히 여기며 사랑했던 열매가 곳곳에 있었다.

중국 식당에서 대접을 받고 집으로 와서 차를 마셨다. 그때 세실리는 다시 브리스번 사모 성경공부 요청을 받았다. 그런데 서로 기도해보자고 하며 당분간은 죽어가는 친구가 있어서 언제 함께 지내며 돌봐야 할지 모르기 때문에 그 후에 다시 이야기하자고 하였다. 언제나 한 사람을 사랑하는 일이 먼저였다. 가장 자기의 도움이 필요한 사정이 우선이었다. 우리 같으면 브리스번에 계신 사모님들의 모임이 전략적이고 중요하니 한 사람을 돌보는 일을 희생하는 편을 택하지 않았을까. 사랑이신 주님과 동행하는 법을 더 배우고 싶었다.

3월 30일 금요일

아침 9시 다른 사람 집에서 이렇게 오래 있어본 적이 없는 것 같다. 열흘이나 있다가 이제 가는구나. 아름다운 환경이었는데… 헤이즐 집까지 가서 짐을 갈아 싣고 헤이즐이 자기 차로 공항에 데려다 주었다. 또 세실리가 오는 수요일 날 또 공항에서 픽업해서 늦은 시간이니 헤이즐 집에서 자고 다음 날 집으로 간단다. 좋은 친구들… 나도 집 마련해서 그렇게 친구들과 노년을 함께 보내고 싶다. 조금 더 크게 만들어서 우리 선교사님들 은퇴하시면 함께 살 수 있도록 하고 싶다. 주님 그런 복 주세요.

시드니 도착, 택시로 숙소에 짐을 내려 놓고 같은 택시로 에핑 OMF 사무실로 직행. 화교들, 인도네시아 은퇴 선교사 둘, 그리고 이제 호주 MSI 대표 역할을 하려는 카이 등. 모두 프리젠테이션을 듣고 함께 저녁을 먹으러 갔다. 중국식당. 열 두세 명이 한 식탁에 둘러 앉아 총재가 퍼주는 밥을 먹었다. 더치 페이. 그런데 나와 세실리의 것은 내주었다.

도시로 갈수록 나이가 적을수록 '함께' '공동체 의식'이 적어진다. '우리' 정신의 회복이 필요한 시대이다.

4월 1일 일요일

울릉공까지 가는 전철 역, 생각보다 시간이 많이 걸렸다. 세실리는 센트럴 역까지 와서 내가 울릉공 행 기차를 잘 타는지 확인해 주었다. 완전 타문화 적응과 제자 훈련의 계속이다.

4월 2일 월요일

아침 전철로 에핑 사무실에 가서 직원들과 인사하고 세실리는 사무실 구경을 시켜 주었다. 모든 것이 정돈되어 있었고 서고가 좋았으며 후보자 교육을 위한 파일이 인상적이었다. 스캔을 시작했다. 그러나 몇 시간 걸려서 한 작업이 용량이 너무 많아서 내일 전부 다시 해야 한다.

4월 4일 수요일

세실리가 10여년 이상 인도했던 사모 성경공부반에 공항 오는 길에 들러 사역 소개를 했다. 모든 분들이 산비 등 OMF 서적에 큰 은혜를 받고 있었다. 아름다운 나라 호주, 이 나라에는 기독교의 좋은 전통이 있다고 하며 한 목사님은 호주 사람 1인의 믿음의 역량은 한국 사람 열 명에 맞먹을 거라고 했다. 죽어 가는 호주 교회를 살린다는 말은 교만한 태도란다. 한인들이 사는 곳에서가 아니라 호주 사회의 한 가운데서 호주 선교를 하려고 하는 마음에 격려를 보내고 싶다.

이제 보름간의 여행이 거의 끝나간다. 세실리의 사랑과 헌신. 나와 세실리의 짐을 들어주는 매튜 총재. 나는 세실리에게 웃으며 "세실리가 1974년 이래로 계속, 특히 지난 열흘 동안 나를 제자 훈련 시켜주었던 것처럼 매튜는 지금 저에게 제자 훈련을 하고 있네요."라고 했다. 처음에는 시드니까지 그 비싼 비행기 삯을 부담하며 나와 동행해 주는 것이 부담스러웠다. 그런데 그것은 세실리가 하나님 앞에서 기도하며 사는 방식이었고 친구에게 전하는 하나님의 은혜였다. 나도 감사하면서 하나님의 은혜로 마음 편히 받았다. 사려 깊고 사사건건 일일이 배려해 주는 태도, 그리고 주의 일이 성사되게 하기 위해 대단히 성실히 면밀히 연락하고 챙기는 것을 보고 매튜는 우리에게 선배(senior)들의 멘토링이 계속 필요하다고 했다. 진심으로 하는 말이었다. 세실리도 요즈음은 믿음의 사람, 선교사들도 이전과 다르다고 고개를 흔들었다. 이전과 같은 헌신과 섬김이 보기 드문 일이 되었다고 걱정하였다. 늦었지만 이제부터라도 잘해야지. 우리는 좋은 전통을 이어주는 사람이 되어야지. 생명 주신 주께 생명 드리는 헌신이 마땅한 것을 내 몸으로 실천하며 같은 마음 가진 후배들을 이끌어야지….

주여, 도우소서. 하나님이시여, 우리에게 기대하시는 주의 소원을 주께서 만족하실만하게 받들어 이루어드릴 수 있도록 도와주시옵소서.

모든 일정을 잘 인도해 주신 주님께, 그리고 일일이 전화해 주고 곁에서 도와주신 세실리 선교사께 감사한다. 한국 기독교 부흥의 시기, 본국의 편안하던 생활을 다 포기하고 아직 살기가 그리 편하지 않던 우리나라에 오셔서 일생 중 가장 좋은 시절을 예물처럼 주셨던 선교사님의 여생이 건강하시고 더욱 복되기를 빈다.

한국에서 경험한 하나님의 신실하심
Experiencing God's Faithfulness in Korea

1판 1쇄 2016년 1월 10일

글쓴이 | 모신희(Cecily Moar) 등 외
옮긴이 | 김예지 등 외
발행인 | 최태희

편집 • 디자인 | 권승린

발행처 | 로뎀북스
등록 | 2012년 6월 13일 (제331-2012-000007호)
주소 | 부산광역시 남구 황령대로 319번가길 190-6, 101-2102
전화 • 팩스 | 051-467-8983
이메일 | rodembooks@naver.com

ISBN | 978-89-98012-16-8 03230

이 도서의 국립중앙도서관 출판예정도서목록(CIP)은 서지정보유통지원시스템 홈페이지(http://seoji.nl.go.kr)와 국가자료공동목록시스템(http://www.nl.go.kr/kolisnet)에서 이용하실 수 있습니다.(CIP제어번호: CIP2014021259)